DRESSLER

Cornelia Funke

Die Wilden Hühner

Mit Illustrationen der Autorin

Cecilie Dressler Verlag · Hamburg

© Cecilie Dressler Verlag GmbH & Co. KG, Hamburg 1993
Alle Rechte vorbehalten
Einband und Illustrationen von Cornelia Funke
Satz: Dörlemann Satz, Lemförde
Druck und Bindung: Clausen & Bosse, Leck
Printed in Germany 2005/II
ISBN 3-7915-0445-2

www.wilde-huehner.de
www.cecilie-dressler.de

Für meine Eltern

Es war ein wunderbarer Tag. Warm und weich wie Hühnerfedern. Aber leider ein Montag. Und die riesige Uhr über dem Schuleingang zeigte schon Viertel nach acht, als Sprotte auf den Schulhof gerast kam.

»Mist!«, sagte sie, bugsierte ihr Rad in den verrosteten Fahrradständer und zerrte die Schultasche vom Gepäckträger. Dann stürmte sie die Treppe rauf und rannte durch die menschenleere Pausenhalle.

Auf der Treppe raste sie fast in Herrn Mausmann, den Hausmeister, hinein.

»Hoppla!«, sagte er und verschluckte sich an seinem Käsebrot.

»'tschuldigung!«, murmelte Sprotte – und stürmte weiter. Noch zwei Flure entlang, dann stand sie japsend vor ihrer Klassentür. Mucksmäuschenstill war's da drin. Wie immer bei Frau Rose. Sprotte schnappte noch mal nach Luft, klopfte und öffnete die Tür.

»'tschuldigung, Frau Rose«, sagte sie, »ich musste noch die Hühner füttern.«

Der dicke Steve sah sie erstaunt an. Die schöne Melanie hob

die Augenbrauen. Und Fred, der blöde Kerl, schlug mit den Armen und krähte. Sehr witzig.

»Na, das ist ja mal eine originelle Ausrede«, sagte Frau Rose, spitzte den rot bemalten Mund und machte ein Kreuz in ihr kleines Buch.

Mit düsterer Miene ging Sprotte zu ihrem Platz, streckte Fred die Zunge raus und setzte sich. Neben Frieda, ihre allerbeste Freundin.

»Du hast Stroh in den Haaren«, raunte Frieda. »Wieso musstest du Hühner füttern? Ist Oma Slättberg krank?«

Sprotte schüttelte den Kopf und gähnte. »Zu ihrer Schwester gefahren. Und ich muss fürs Füttern 'ne Stunde früher aufstehen. Eine Stunde! Kannst du dir das vorstellen?«

»Schluss mit dem Getuschel dahinten«, rief Frau Rose und fing an rätselhafte Zahlen an die Tafel zu schreiben. Frieda und Sprotte senkten die Köpfe, bis sie sich fast die Nasen an ihren Büchern stießen.

»Aber das hat mich auf 'ne Idee gebracht!«, flüsterte Sprotte.

»Ah, ja?« Besorgt sah Frieda von ihrem Buch auf. Sprottes Ideen waren schlimmer als Windpocken. Und sie brütete ständig neue aus.

»Schick Melanie und Trude eine Nachricht«, flüsterte sie Frieda zu. »Geheimtreffen in der nächsten Pause auf dem Klo.«

Trude und die schöne Melanie saßen nebeneinander, drei Tische weiter vorn, und betrachteten gerade sehr angestrengt die Tafel.

»O nein!«, stöhnte Frieda. »Du willst doch wohl nicht wieder mit diesem Bandenkram anfangen?«

»Schreib!«, zischte Sprotte.

Frieda beherrschte die Banden-Geheimschrift perfekt. Was man von Sprotte nicht behaupten konnte – obwohl sie sie erfunden hatte. Kein Wunder, sie konnte sich nicht mal merken, ob man »Lehrer« mit »h« oder »ee« schreibt.

»So, bitte mal jemand an die Tafel!«, sagte Frau Rose.

Frieda zog den Kopf ein. Sprotte guckte gebannt in ihr Mathebuch.

»Niemand freiwillig?«

»Welches Codewort?«, flüsterte Frieda und riss ein Blatt aus ihrem Ringbuch.

Sprotte kritzelte etwas auf den Tisch.

Frieda verzog das Gesicht. »Was soll das denn sein?«

»Na, ein Huhn natürlich«, zischte Sprotte ärgerlich. »Ist doch 'n prima Codewort, oder? Beeil dich.«

Frau Rose guckte schon wieder zu ihnen herüber.

»Fred meldet sich freiwillig!«, sagte Sprotte laut und wischte das verunglückte Huhn mit dem Daumen weg.

»Ha, ha.« Fred rutschte tiefer in seinem Stuhl.

»Fertig«, flüsterte Frieda, faltete die Nachricht sorgfältig zusammen und schob sie Sprotte hin.

»Charlotte, komm du bitte an die Tafel!«, sagte Frau Rose.

»O nein. Bitte, das hat keinen Sinn«, sagte Sprotte. »Wirklich nicht, Frau Rose.«

»Charlotte, an die Tafel.« Frau Rose hob die Augenbrauen. Das tat sie immer, wenn sie sich ärgerte.

Also stand Sprotte auf, nahm den Zettel in die Hand – und warf ihn der schönen Melanie im Vorbeigehen in den Schoß. Aber hinter Frau Roses runder Brille verbargen sich Adleraugen. »Melanie, zeigst du mir bitte mal den Zettel, den du da gerade bekommen hast?«, flötete sie. Und die schöne Melanie kriegte einen puterroten Kopf und brachte Sprottes Geheimbotschaft widerstandslos nach vorne.

»Neffert mmedfua knehcdä shcänol esuapet rowedoc nhuht«, las Frau Rose vor. »Was soll das denn?«

»Das ist Sprottes blödsinnige Geheimschrift«, verkündete Fred. Er grinste so breit, dass ihm fast die Ohren abfielen. Sprotte nahm sich ein Stück Kreide, kniff die Lippen zusammen und starrte die Tafel an.

»Nun, wenn das hier geheim ist«, sagte Frau Rose, faltete Sprottes Nachricht wieder zusammen und drückte sie Melanie in die Hand, »dann soll es auch geheim bleiben. Charlotte, fang bitte an zu rechnen.«

Der Rest der Stunde wurde für Sprotte ziemlich unangenehm. Aber auch Fred zerbrach sich gründlich den Kopf. Über Neffert mmedfua knehcdä und so weiter.

»Ein doofer Treffpunkt!«, sagte Melanie. Zu dritt drängten sie sich in einer Klokabine. Frieda hatte es noch am besten getroffen, denn sie saß auf dem Klodeckel.

»Das ist der einzige Ort, wo Freds Bande uns nicht ausspionieren kann«, sagte Sprotte.

»Ausspionieren! Was gibt's denn auszuspionieren?«, fragte Melanie spöttisch und zupfte an ihren Locken herum. »Ich wette, die Jungs haben was Besseres zu tun.«

»Ach ja?«

Jemand klopfte an die Tür und raunte: »Huhn! Huhuhn!«

Sprotte schloss die Tür auf und Trude drängte sich hinein. Nun wurde es erst richtig eng.

»Entschuldigung«, sagte Trude verlegen. »Aber ich musste noch mal zum Klo. Richtig, meine ich.« Sie wurde rot. »Was gibt's denn?«

»Sprotte hat eine Idee«, sagte Frieda.

Melanie steckte sich ein Kaugummi zwischen die schneeweißen Zähne. »Na, wenn die so ist wie die letzte, dann gute Nacht!«

»Was willst du hier eigentlich, wenn dir unsere Bande so auf die Nerven geht?«, fauchte Sprotte.

Melanie verdrehte die Augen. »Schon gut. Rück raus mit deiner Idee.« Kichernd stieß sie Trude an. »Vielleicht will sie uns ja wieder so 'nen echten Hexentrank kochen, von dem wir tagelang grün im Gesicht sind.«

Sprottes Antwort war ein eisiger Blick.

»O Mann, können wir jetzt vielleicht mal zur Sache kommen?«, fragte Frieda, kletterte auf den Klodeckel und stieß das Fenster auf.

»Okay.« Sprotte rieb sich die Nase. Das tat sie immer, wenn sie ärgerlich oder verlegen war. »Meine Oma ist für eine Woche zu ihrer steinalten Schwester gefahren und ich hüte das Haus und die Hühner und so. Na ja. Und da hab ich gedacht, dass das ein prima Hauptquartier wäre – und wenn wir uns diese Woche öfter träfen – ja, also«, sie sah auf ihre Füße, »dass wir dann vielleicht doch noch 'ne richtige Bande würden.«

»Find ich toll«, sagte Trude mit einem Seitenblick auf Melanie. Eine Sache war für sie erst in Ordnung, wenn Melanie ihren Segen dazu gab. Aber die guckte leider gar nicht begeistert.

»Was heißt denn öfter?«, fragte Melanie.

»Na, fast jeden Tag.«

Frieda schüttelte den Kopf. »Ob ich so oft kann, weiß ich nicht. Ihr wisst doch, mein kleiner Bruder . . .«

»Mann, dein kleiner Bruder«, sagte Sprotte ärgerlich. »Auf den kann auch mal dein großer Bruder aufpassen.«

»Du hast gut reden«, murmelte Frieda. Sprotte hatte keine Geschwister. Ihre Mutter fuhr Taxi und war meistens nicht zu Hause. Und ihr Vater – na, der war nicht da und den erwähnte man auch besser nicht.

»Was sollen wir denn so oft miteinander anfangen?«, fragte Melanie.

Draußen klingelte es zur nächsten Stunde.

»Na, was fängst du denn sonst so Aufregendes an?«, fragte Sprotte ärgerlich. »Also, ich jedenfalls sitz zu Hause rum,

wenn ich nicht gerade bei meiner Oma schufte. Frieda hat nichts Besseres zu tun, als dauernd auf ihren kleinen Bruder aufzupassen. Und Trude erlebt ja wohl auch nicht am laufenden Band die großen Abenteuer, oder?«

Trude lächelte verlegen und starrte auf die schmutzigen Kacheln vor ihren Füßen.

»Ich geh zum Ballett!«, sagte Melanie schnippisch. »Und Gitarre hab ich auch.«

»Das hört sich ja sehr abenteuerlich an«, spottete Sprotte. »Das kannst du natürlich nicht mal 'ne Woche ausfallen lassen.«

»Klar geht das!« Melanie kniff wütend die Augen zusammen. »Aber was dann?«

»Na, das werden wir sehen!«, rief Sprotte. »Abenteuer kann man doch nicht planen wie Ballett oder so was. Die warten um die Ecke und – zack! Plötzlich sind sie da!«

Die drei andern sahen sich an. Ihre Köpfe waren plötzlich voller Bilder von Schätzen, Rittern und Piraten. Sprotte hatte es geschafft.

Mit einem unsicheren Lächeln sah Trude Melanie an. »Ich würd's gern noch mal versuchen«, sagte sie.

Melanie zuckte die Achseln. »Okay. Eine Woche. Dann sehen wir weiter.«

Trude strahlte sie erleichtert an.

»Ich bin auch dabei«, sagte Frieda. »Kann allerdings sein, dass ich meinen kleinen Bruder mal mitbringe.«

»Also gut, dann.« Sprotte holte tief Luft. »Dann treffen wir uns heute Nachmittag. So um drei. Einverstanden?«

»Meinetwegen«, sagte Melanie. »Aber ich zieh nicht wieder dieses blöde blaue Banden-T-Shirt an, in dem wir damals immer rumgerannt sind. Da drin seh ich unmöglich aus.«

»Irgendwas müssen wir aber gleich haben!«, sagte Sprotte ärgerlich. »Und ich zieh garantiert kein Rüschenkleidchen an, damit du gut aussiehst.«

»Kleidung als Erkennungszeichen ist doch langweilig«, sagte Frieda. »Wie wär es mit 'ner Tätowierung oder so was?«

Entsetzt sah Trude sie an.

»War ja nur 'n Beispiel«, sagte Frieda.

»Vielleicht fällt ja irgendeiner noch was ganz Tolles ein«, sagte Sprotte. »Also, drei Uhr. Und vergesst das Codewort nicht.«

»Huuuuhn!«, sagte Melanie und verdrehte die Augen. »Aber kann mir mal jemand erklären, wieso wir das auf dem Klo besprechen mussten?«

Sprotte und Frieda wohnten in derselben Straße, für beste Freundinnen eine praktische Sache. Sie kannten sich seit dem Kindergarten, hatten sich hundertmal für alle Ewigkeit zerstritten und ebenso oft wieder vertragen, wie das bei besten Freundinnen eben so ist. Einmal waren sie sogar zusammen von zu Hause weggerannt – allerdings nur bis zur nächsten Straßenecke.

Um Punkt halb drei holte Sprotte Frieda ab und sie machten sich gemeinsam auf den Weg. Mit dem Kinderwagen, denn Frieda musste auf ihren Babybruder Luki aufpassen.

»Ein Baby auf einem Bandentreffen!« Sprotte schüttelte den Kopf. »Mann, so wird nie eine richtige Bande aus uns.«

Zack, flog der Schnuller aus dem Wagen.

»O nein«, murmelte Frieda und fischte das Ding hastig unter einem dicken Dackel hervor, der gegen einen Zeitungsständer pinkelte.

»Kann dein blöder großer Bruder nicht mal auf den Zwerg aufpassen?«, fragte Sprotte.

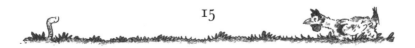

»Nee«, Frieda wischte den Schnuller sorgfältig an ihrem T-Shirt ab. »Der hat heute Tennis.«

»Ach. Letztes Mal hatte er Karate.«

Und schon flog der Schnuller wieder aus dem Wagen. Diesmal in besonders hohem Bogen.

»Karate ist mittwochs«, sagte Frieda. »Mist, wo ist das Ding denn jetzt gelandet?«

Luki brüllte los.

»Wahrscheinlich auf die Straße geflogen und platt gewalzt«, sagte Sprotte ungeduldig. »Hast du nicht noch einen? Das Gebrüll ist ja lauter als die Autos!«

Hastig zog Frieda einen Ersatzschnuller aus der Hosentasche und steckte ihn in den gierigen kleinen Mund. Als Luki gerade geboren war, hatte Sprotte ihn immer Zuckermännchen genannt. Aber inzwischen hielt sich ihre Begeisterung für Babys in Grenzen. Friedas auch.

Sie bogen in eine enge Straße ein. Schon nach ein paar Schritten war der Lärm der Hauptstraße nur noch ein wütendes Brummen und sie hörten die Kinderwagenräder über den Schotter knirschen.

»Was machen die Jungs eigentlich in ihrer Bande?«, fragte Frieda.

»Angeln«, sagte Sprotte. »Und Mädchen ärgern. Das ist das Einzige, was denen mit ihren Spatzenhirnen einfällt.«

»Und wir?«, fragte Frieda. »Hast du inzwischen 'ne Idee?

Vielleicht könnten wir zusammen kochen oder so was. Das würde Melanie bestimmt auch Spaß machen.«

»Mensch, Melanie, Melanie! Die soll abhauen zu ihrem Ballett, wenn sie wieder rummeckert!«, rief Sprotte, worauf Luki gleich wieder anfing zu brüllen.

»Psst, pass doch auf!«, zischte Frieda und wippte den Kinderwagen, bis das Baby wieder still war.

»Tut mir Leid«, flüsterte Sprotte. »Aber mich regt es einfach auf, wie Trude sie anhimmelt. Und jetzt fängst du auch noch an. Außerdem ist Kochen wirklich nichts für 'ne Bande.«

»War ja nur 'ne Idee«, sagte Frieda. »Aber warum hast du Melanie überhaupt in deine tolle Bande aufgenommen, wenn du sie so blöd findest?«

»Na ja, war eben keine Bessere da«, murmelte Sprotte und rieb sich heftig die Nase. »Außerdem hast du sie doch vorgeschlagen, oder?«

»Ich hab Trude vorgeschlagen, weil sie eh dauernd bei uns ist«, sagte Frieda. Trudes und Friedas Mütter waren nämlich dick befreundet.

»Und Trude macht nun mal nichts ohne Melanie.« Sprotte seufzte.

»Genau.« Sprotte hatte niemanden vorgeschlagen. Wen auch? Frieda war nicht nur ihre beste, sondern ihre einzige Freundin.

»Na, ist ja auch egal«, sagte Sprotte. »Bande ist Bande, so

schlecht sind die zwei auch wieder nicht. Und du wirst sehen, das wird eine tolle Woche. Ganz bestimmt.«

»Klar, bestimmt«, sagte Frieda. So ganz überzeugt klang es allerdings nicht. »Kannst du mal in den Kinderwagen gucken?«

»Schläft«, stellte Sprotte fest. »Wenn Babys schlafen, sind sie wirklich niedlich. Aber sonst – o Mann.«

Sprottes Oma wohnte in einer schmalen Straße mit Wiesen am rechten Straßenrand und ein paar alten Häusern auf der linken Seite. Die Häuser waren weder groß noch schön, aber alle hatten riesige Gärten.

Nur ein einziges Mal war Frieda bisher hier gewesen. Das hatte gereicht. Oma Slättberg mochte es überhaupt nicht, wenn Sprotte Freunde mitbrachte. »Ich mag keine Fremden in meinem Haus«, sagte sie. Und Fremde – das waren alle, mit Ausnahme von Sprotte und ihrer Mutter. Oma Slättberg war schon sehr merkwürdig. Dauernd vergaß sie irgendwas, und rumkommandieren tat sie auch in einem fort. Seit Frieda sie kennen gelernt hatte, wusste sie, warum Sprotte oft so traurig war. Und so biestig zu andern. Manchmal sogar zu ihrer besten Freundin.

Wenn Sprottes Mutter tagsüber Taxi fuhr, aß Sprotte bei ihrer Oma, und wenn ihre Mutter Nachtschicht hatte, schlief sie auch dort. Viel Zeit für Hausaufgaben oder Freunde blieb da nicht. Nach dem Essen musste sie immer stundenlang Un-

kraut zupfen oder den Hühnerstall ausmisten. Denn Oma Slättberg war der Meinung, dass Kinder sich ihr Essen verdienen müssen. »Im Schweiße ihres Angesichts«, sagte sie immer. »Jawohl, im Schweiße ihres Angesichts.«
Sprotte wusste genau Bescheid über Gemüsebeete und Hühner – und fiese Omas.

Oma Slättbergs Haus war das letzte in der Reihe – ein düsteres Klinkerhaus mit kleinen Fenstern, die wie zugekniffene Augen aussahen. In dem großen Garten gab es kein Fleckchen Rasen oder eine Terrasse, kaum Blumen, aber Unmengen von Beerensträuchern und Obstbäumen – und eine lange Reihe sorgsam sauber gezupfter Gemüsebeete. Dahinter standen ein alter Schuppen und ein grün gestrichener Hühnerstall, an den sich ein großer Auslauf mit einem Maschendrahtzaun und einem grünen Holzgatter anschloss.
»Oh, da sind die Hühner!«, rief Frieda, als sie vor dem Gartentor standen. »Sind das mehr als letztes Mal?«
Sprotte schüttelte den Kopf. »Nee, sogar eins weniger. Letzte Woche hat Oma noch geschlachtet, um ihrer Schwester eins mitzubringen.« Sprottes heftige Proteste und Tränen hatten Oma Slättberg nicht davon abhalten können. Aber wenigstens hatte sie die Finger von Sprottes Lieblingshenne gelassen.
»Au, verdammt!«, rief Sprotte plötzlich. Hastig stieß sie das

Gartentor auf und rannte auf die Gemüsebeete zu. »Weg da, weg da!«, brüllte sie.

Zwischen den Kohlköpfen richtete sich erschrocken eine dicke braune Henne auf. Ein Kohlblatt hing ihr noch aus dem Schnabel. Als sie die wütende Sprotte auf sich zustürmen sah, rannte sie laut gackernd auf den Auslauf zu.

»Na warte!«, rief Sprotte und versuchte sie zu packen. Die Henne gluckste entsetzt und rannte hektisch vor dem Maschendraht hin und her. Zweimal grapschte Sprotte nach ihr, zweimal flogen die Federn, aber jedes Mal entwischte das Huhn ihr. Dann duckte es sich plötzlich und schlüpfte unter dem Gatter hindurch in den Verschlag.

Frieda erstickte fast an ihrem eigenen Lachen.

»Kicher nicht so blöd!« Besorgt lief Sprotte zum Kohlbeet. Von zwei Köpfen standen nur noch die abgefressenen Strünke da. Wütend riss Sprotte sie aus und warf sie den Hühnern in den Auslauf. Frieda schob kichernd den Kinderwagen vors Haus.

»Das ist überhaupt nicht komisch«, rief Sprotte. »Wenn meine Oma das sieht, bekomm ich einen Höllenärger.«

»Ach, so schlimm wird's schon nicht werden«, sagte Frieda. »Ups, jetzt hab ich einen Schluckauf.«

»Immer wieder buddeln die Viecher sich unterm Gatter durch!«, schimpfte Sprotte verzweifelt. »Ich mach das Loch zu und am nächsten Tag haben sie sich schon 'n neues gebuddelt. Aber erklär das mal meiner Oma!«

»Ach, komm, reg dich ab.« Frieda legte Sprotte beruhigend den Arm um die Schulter. »Wenn sie so vergesslich ist, wie du immer sagst, weiß sie längst nicht mehr, wie viel Kohlköpfe da standen.« Sie lugte in den Kinderwagen. »Luki schläft wie ein Stein. Ich lass ihn am besten hier draußen stehen.«
Sprotte sah immer noch ziemlich unglücklich aus. »Solche Sachen vergisst meine Oma nie«, sagte sie. »Da würde sie eher ihren Namen vergessen. Die weiß sogar, wie viel rostige Nägel im Schuppen liegen.« Mit grimmigem Gesicht zog Sprotte ihre Hausschlüssel aus der Tasche. An Oma Slättbergs klappriger Tür glänzten drei Sicherheitsschlösser. Erstaunt schüttelte Frieda den Kopf.
»Hat deine Oma einen Schatz da drin?«
»Nicht, dass ich wüsste«, brummte Sprotte, während sie entnervt mit den Schlüsseln rumfummelte. »Aber meine Oma sieht hinter jedem Kohlkopf 'nen Einbrecher sitzen. Dabei gibt's hier wirklich nichts zu klauen. Komm rein.« Sie stieß die Haustür auf.
Durch einen kleinen Flur mit einer riesigen Garderobe gingen sie in Oma Slättbergs Küche. Es war eine schöne Küche, mit einem alten Schrank, der viele kleine Schubladen und Glasfenster hatte, und einem großen Tisch mit drei Stühlen und einem Sofa drum rum.
»Sieht nett aus«, sagte Frieda. Aber Sprotte runzelte nur die Stirn. »Guck dir das an«, sagte sie wütend, ging zum Schrank und riss den Zettel ab, der an einer Glasscheibe klebte.

»Montag und Mittwoch den Fußboden wischen«, las sie vor. »Nett, was?«

Es gab noch mehr Zettel. Sie klebten überall. Am Herd, am Kühlschrank, an der Tür zur Vorratskammer, auf der Tischplatte. Mal einer, manchmal gleich zwei. Alle mit genauen Arbeitsanweisungen. Sprotte riss sie alle ab. Einen knallroten Kopf bekam sie dabei.

Frieda nahm ihr den Zettelhaufen aus der Hand und las. Staub putzen, ausfegen, wischen, Hühner füttern und sauber machen, Unkraut rupfen (»aber bitte regelmäßig und gründlich!«), lüften, Tischtücher wechseln . . . Schließlich hatte sie genug und warf die Zettel auf den Tisch.

Da lag noch ein Zettel, mit einem großen Schlüsselbund daneben.

»*Rot*: Schlüssel für die Vorratskammer – lass die Finger von den Keksen!

Blau: Schuppen – sorg dafür, dass in den Mausefallen immer frischer Speck ist

Gelb: die Ersatzschlüssel für die Haustür – falls du deine mal wieder aus Unachtsamkeit verlierst. Es wäre ja nicht das erste Mal!

Grün: Briefkasten – bitte täglich!! leeren

Schwarz: geht dich nichts an!«

»Was soll das denn heißen?«, fragte Frieda verblüfft. »Vielleicht hat sie ja doch einen Schatz versteckt! Was meinst du?«
Sprotte schüttelte den Kopf. »Keine Ahnung. Komisch.«
Nachdenklich guckte sie sich den schwarzen Schlüssel an.
Aber er sah kein bisschen anders aus als die andern.
»He, Sprotte! Bist du schon da?«, rief jemand von draußen.
Und im selben Moment brüllte Luki los.
»He, euer Baby schreit!«, sagte Melanie, als sie mit Trude im Schlepptau in die Küche kam.
»Na, ist das ein Wunder bei eurem Gekreisch?«, fragte Frieda, lief nach draußen und kam mit dem brüllenden Luki wieder.
»Er ist klitschnass. Ich muß ihn sauber machen. Legt mal seine Decke auf den Tisch.«
Trude verschwand wie der Blitz und kam mit der Decke wieder. Sprotte stand immer noch da und guckte sich den schwarzen Schlüssel an.
»He, geh mal zur Seite«, sagte Frieda und befreite Luki von seiner pitschnassen Windel. Trude sah staunend zu.
»Was ist denn an dem Schlüssel so interessant?«, fragte Melanie neugierig.
»Na, das wüsste ich auch gern«, murmelte Sprotte und steckte den Schlüsselbund mitsamt dem unfreundlichen Anweisungszettel in ihre Hosentasche.

»Da sind ja gar keine Hähne dabei!«, sagte Melanie.

Die vier saßen mitten im Hühnerauslauf um einen wackligen Gartentisch herum, tranken Tee und aßen Kekse.

»Hähne machen nur Ärger«, sagte Sprotte. Unterm Tisch stritten sich sechs Hühner um die Kekskrümel. Sprotte packte sich eine kleine schwarze Henne und setzte sie sich auf den Schoß. Glucksend zog sie den Kopf ein. Als Sprotte ihr sacht über den Kamm strich, schloss sie die Augen.

Melanie kicherte. »Hast du keine Angst, dass sie dir auf den Schoß kackt?«

»Nee, ich bin ja nicht so aufgetakelt wie du«, sagte Sprotte. Melanie kniff die Lippen zusammen und strich sich über ihr Kleid.

»Haben die alle Namen?«, fragte Trude.

Sprotte nickte. »Na klar. Die hier heißt Emma, das da unten sind Isolde und Huberta, die Gescheckte heißt Kokoschka und die beiden Dicken da heißen Dolli und Klara.«

»Nette Namen«, sagte Melanie. »Hat sich die deine Oma ausgedacht?«

Sprotte schüttelte den Kopf. »Nee, die hab ich ihnen gegeben.

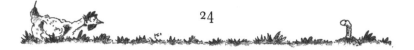

Unsre Bande sollte auch endlich mal einen Namen kriegen, findet ihr nicht?«

»Freds Bande hat einen lustigen, finde ich«, sagte Frieda. Luki saß trocken und zufrieden auf ihrem Schoß und nuckelte an ihrem Finger.

»Die *Pygmäen*!« Sprotte verzog das Gesicht. »Den findest du gut? Ich weiß nicht.«

»Und sie tragen alle einen Ohrring.« Trude schaufelte vier Löffel Zucker in ihren Tee. »Mit ihren Eltern haben sie deshalb reichlich Ärger gekriegt.« Die Bewunderung war nicht zu überhören.

»Wie wär's«, Melanie nahm sich einen von Oma Slättbergs verbotenen Keksen, »wie wär's, wenn wir uns *Die Elfen* nennen? Klingt doch toll, oder?«

»Nur über meine Leiche!« Sprotte nahm die strampelnde Emma vom Schoß und setzte sie wieder unter den Tisch. Trude griff in die Keksdose, aber Sprotte schob ihre Hand zur Seite und klappte die Dose zu. »Mehr gibt's nicht, sonst merkt meine Oma, dass ich die nicht allein gegessen habe.«

»Oh.« Verlegen verschränkte Trude die Hände im Schoß.

»An welchen Namen hast du denn gedacht?«, fragte Melanie Sprotte schnippisch.

»Die *Wilden Hühner*«, sagte Sprotte. »Das wär ein guter Name.« Melanie verzog ihr Engelsgesicht. Aber Trude und Frieda nickten.

»Hört sich witzig an«, sagte Frieda. »Doch, find ich witzig.«

»Als Erkennungszeichen . . .«, Trude rutschte aufgeregt auf ihrem Stuhl herum, ». . . könnten wir uns die Fingernägel grün anmalen.«

»Nein, die Fußnägel!«, sagte Frieda. »Oder die Lippen.«

»Igitt«, sagte Sprotte. »Da können wir uns ja gleich die Haare färben.«

»Kommt nicht in Frage«, sagte Melanie, während sie mit einem Taschentuch an ihrer Schuhspitze herumpolierte. »Wenn ihr euch unbedingt die *Wilden Hühner* nennen wollt, bitte – aber meine Haare färb ich mir nicht.«

»Ich – ich hab's!« Trude strich sich den Pony aus dem Gesicht. Die Fransen fielen ihr ständig in die Augen. »Wir hängen uns alle eine Hühnerfeder um den Hals. Und – und wir, wir dürfen sie nie verlieren oder, oder sie uns wegnehmen lassen – oder so!«

»Hm!«, machte Sprotte.

Und Melanie zog die schöne Nase kraus. »Puh, stinken wir dann nicht nach Hühnermist?«

»Quatsch!« Ärgerlich hob Sprotte eine Feder von der Erde auf und hielt sie Melanie unter die Nase. »Riecht deine feine Nase was? Na, siehst du. Also«, sie sah sich um. »Sucht euch eine aus. Hier liegen ja genug rum.«

Die Hühner hörten erstaunt auf zu picken und zu scharren, als die Mädchen mit gesenkten Köpfen durch den Auslauf irrten. Es verging ziemlich viel Zeit, bis jede überzeugt war, die schönste Feder gefunden zu haben.

»Ich werd sie mir an ein Silberkettchen machen«, sagte Melanie. »Sieht bestimmt hübsch aus.«

»Bestimmt!«, sagte Trude und sah sie bewundernd an. Frieda und Sprotte wechselten einen spöttischen Blick.

»Jetzt fehlt nur noch das Allerwichtigste«, sagte Sprotte. »Was wir bisher völlig vergessen haben!«

Erstaunt sahen die andern drei sie an.

Sprotte machte ein höchst bedeutsames Gesicht. »Der Schwur.«

»Wofür das denn?«, fragte Frieda.

»Sie hat Recht!«, sagte Trude. »So ein Schwur ist unheimlich wichtig!« Sie zog einen reichlich zerdrückten Schokoriegel aus ihrer Hosentasche und biss hungrig hinein.

»So was mit in den Finger schneiden, was?« Frieda schüttelte ärgerlich den Kopf. »Ohne mich. Kommt überhaupt nicht in Frage.« Luki strampelte und streckte seine kurzen, dicken Arme nach den Hühnern aus. Dann fing er an zu brüllen. Seufzend stand Frieda auf und ging mit ihm auf und ab.

Trude warf ihr leeres Schokoladenpapier den Hühnern hin. Gierig stürzten sie sich darauf – und ließen es dann enttäuscht im Sand liegen.

»Wir könnten uns auch nur in den Finger stechen«, schlug Sprotte vor.

Trude wurde weiß um die Nase und verbarg ihre schokoladenverschmierten Finger im Schoß.

»Ach ja? Und dann haben wir alle Blutvergiftung oder so

was. Nee«, sagte Melanie. »Wir nehmen Spucke. Spucke geht auch.«

»O Mann, Spucke! Na gut!« Sprotte zuckte die Schultern. »Dann spucken wir eben auf unsre Finger und reiben sie aneinander.«

»Aber erst, wenn Trude sich ihre Hände abgewischt hat«, sagte Melanie. »Die sehen ja aus, als ob sie in Hundescheiße gefasst hat.«

Trude wurde rot wie ein Hühnerkamm und rieb sich hastig die Hände an der Hose sauber.

»Okay«, sagte Sprotte. »Steht auf und sprecht mir nach: Ich schwöre, die Geheimnisse der *Wilden Hühner* mit Leib und Leben zu schützen und nie zu verraten, sonst will ich auf der Stelle völlig tot umfallen!«

»Wir schwören!«, sagten die andern drei und rieben ihre Spuckefinger aneinander. Die Hennen ruckten erstaunt mit den Köpfen und gackerten.

»Was denn eigentlich für Geheimnisse?« Melanie ließ sich wieder auf ihren Stuhl plumpsen und wischte die Finger gründlich am Tischtuch ab.

»Na, unser Kennzeichen und das Codewort und die Geheimschrift und all das«, sagte Sprotte.

»Das ist alles?«

»Na ja.« Sprotte räusperte sich viel sagend. »Ich bin da noch was anderem auf der Spur, aber das erzähl ich euch morgen.«

Und wieder hatten die drei andern plötzlich das Gefühl, dass das Abenteuer schon durch den Maschendraht lugte. Dass die Welt wild und aufregend war. Es liegt an ihrer Stimme, dachte Frieda. Irgendwie macht sie es mit ihrer Stimme. Sprottes Stimme war immer ein bisschen rau, und wenn sie wollte, konnte sie einem damit wie mit Schmirgelpapier über die Haut streichen.

»Ach, komm. Mach's nicht so spannend«, sagte Melanie. Sie befreite sich, wie immer, als Erste von dem Bann.

Sprotte schüttelte den Kopf. »Morgen.«

»Ist gut. Ich muss jetzt sowieso nach Hause«, sagte Frieda. »Luki hat Hunger.« Und hastig lief sie zum Kinderwagen.

»Okay.« Melanie und Trude standen auch auf. »Igitt!«, rief Melanie und guckte entsetzt auf ihre Füße. »Eins von den blöden Hühnern hat mir auf den Schuh gekackt.«

»Es hat sich eben den vornehmsten Schuh ausgesucht.« Sprotte kicherte.

Beleidigt drehte Melanie ihr den Rücken zu. »Bis morgen! Komm, Trude.«

»Bis morgen«, sagte Trude und trottete eilig hinter Melanie her.

Vor dem Gartentor suchte Frieda schon wieder Lukis Schnuller. »Kommst du nicht mit?«, rief sie Sprotte zu. Luki brüllte wie am Spieß.

Sprotte schüttelte den Kopf. »Ich bleib noch hier. Mama fährt sowieso noch Taxi.«

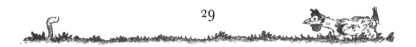

Erleichtert fischte Frieda den Schnuller unter der Hecke hervor. Ein altes Bonbonpapier klebte dran.

»Na, dann!«, sagte sie. »Mach's gut. Bis morgen.« Und schob mit dem Kinderwagen davon.

»Bis morgen«, murmelte Sprotte. Sie stellte die Tassen und den kalten Tee auf ein Tablett, schüttelte die Tischdecke aus und suchte besorgt nach Flecken. Auf der einen Seite wimmelte es nur so von Schokoladenfingern. Mist. Warum musste Trude auch in einem fort was essen? Hastig lief Sprotte mit der Decke ins Haus und weichte sie ein. Dann brachte sie den Tisch und die Stühle zurück in den Schuppen und sah sich um. Nein. Selbst Oma Slättbergs scharfe Augen hätten von dem Bandentreffen der *Wilden Hühner* keine Spur mehr entdeckt.

Sprotte holte eine Hand voll Hühnerfutter und hockte sich auf einen umgestülpten Eimer zwischen die Hennen. Eilig kamen sie herangewackelt, pickten nach Sprottes Fingern, zupften an ihren Schuhbändern und zwinkerten mit ihren hellen Knopfaugen.

Sprotte musste lachen. Hühner waren einfach zu komisch. Nachdenklich zog sie die Schlüssel und den Zettel ihrer Oma aus der Hosentasche. Die Hennen schielten neugierig zu ihr hoch, pickten nach dem hellen Papier.

»Komisch«, murmelte Sprotte und wendete den schwarzen Schlüssel hin und her. »Wirklich komisch.«

Dann holte sie sich drei Eier aus dem Stall, zog ein paar Kartoffeln aus der Erde und machte sich was zu essen.

Am nächsten Nachmittag hatte Frieda babyfrei und außerdem hatten sie kaum Schularbeiten auf. Also ideale Bedingungen für ein wunderbares Bandentreffen.

Um drei Uhr saßen sie alle gespannt um Oma Slättbergs Küchentisch herum und warteten auf Sprottes Geheimnis. Durch das offene Küchenfenster schien die Sonne herein, eine Elster schimpfte irgendwo und die Bienen summten in der Linde vor dem Haus.

Sprotte räusperte sich, guckte in die Runde – und schwieg noch ein paar wirksame Sekunden lang, um die Spannung zu steigern.

»Na, nun leg schon los«, sagte Melanie ungeduldig.

»Ja, bitte!«, sagte Trude mit vollem Mund. Sie verdrückte gerade ein gewaltiges Wurstbrötchen.

»Soll ich noch Tee kochen?«, fragte Sprotte.

»Nein«, sagte Frieda und grinste. »Fang endlich an.«

Sprotte griff in die Hosentasche, holte Oma Slättbergs Schlüssel und den Zettel heraus und legte beides mit bedeutsamer Miene auf den Tisch. Dann las sie den Zettel, etwas gekürzt, vor.

»Na, du scheinst ja 'ne nette Oma zu haben«, sagte Melanie, als Sprotte fertig war.

»Das Geheimnis ist der schwarze Schlüssel, nicht wahr?«, fragte Trude mit gedämpfter Stimme. Ihre Augen waren vor Aufregung rund wie Mantelknöpfe. Für ein paar Augenblicke hatte sie sogar ihr Brötchen vergessen.

»Gestern Abend, als ihr weg wart, hab ich alle Schlösser ausprobiert, die ich finden konnte«, sagte Sprotte. »Nichts.«

»Meinst du, deine Oma hat hier irgendwo einen Schatz versteckt?«, flüsterte Trude.

»Mensch, wieso flüsterst du denn so?«, fragte Melanie. »Glaubst du, Sprottes Oma steht im Schrank, oder was?«

Trude wurde rot und biss sich auf die Lippen.

»Wahrscheinlich ist es kein Schatz, sondern eine völlig vergammelte Leiche«, sagte Frieda. »Ist dein Opa ganz plötzlich verschwunden oder so was?«

»Blödsinn!« Ärgerlich schüttelte Sprotte den Kopf.

»Na, wenn ich den Zettel so lese«, Melanie kicherte, »dann würde ich deiner Oma ganz schöne Gemeinheiten zutrauen.«

Draußen gackerte ein Huhn wie verrückt los. Mit gerunzelter Stirn sah Sprotte zum Fenster.

»Was denkst du denn, warum sie so ein Geheimnis um den Schlüssel macht?«, fragte Frieda. Den ganzen Heimweg hatte sie sich gestern den Kopf darüber zerbrochen. Aber alles, was dabei herauskam, war, dass Sprottes Oma ihr langsam unheimlich wurde.

»Wahrscheinlich ist er nur für eine Schublade, in der deine Oma ihre geheimen Keksrezepte versteckt«, sagte Melanie. Sprotte guckte immer noch zum Fenster. Plötzlich stand sie auf und schlich vorsichtig darauf zu. Fragend sah Frieda sie an. »He, was ist . . .?«

Warnend legte Sprotte den Finger auf die Lippen.

»Also, wahrscheinlich ist an dem Schlüssel überhaupt nichts Geheimnisvolles!«, sagte Melanie laut, während sie ebenfalls aufstand und auf die Haustür zuschlich.

»Nee, bestimmt nicht!«, sagte Frieda und pirschte sich auch zum Fenster. Nur Trude saß noch mit offenem Mund und ihrem Brötchen in der Hand am Tisch.

Dann brüllte Sprotte plötzlich: »Halt, ihr Spione!«, und sprang mit einem Satz aus dem Fenster. Frieda kam mit ihren kürzeren Beinen nicht ganz so schnell hinterher. Melanie riss die Haustür auf und stürmte hinaus.

Da rappelte auch Trude sich vom Sofa hoch und stolperte ans Fenster. Noch gerade rechtzeitig, um Fred, Torte, Steve und Willi, die vollständige *Pygmäen*-Bande, über Oma Slättbergs Gemüsebeete davonspurten zu sehen. Sprotte, Frieda und Melanie waren ihnen hart auf den Fersen. Sie hatten sie schon fast erwischt, als Sprotte plötzlich einen Schrei ausstieß und zum Auslauf zeigte.

Das Gatter zum Hühnerauslauf stand sperrangelweit auf. Und der Auslauf war leer.

Die kurze Schrecksekunde der Mädchen rettete die *Pygmäen*.

Sie kletterten übers Gartentor, schnappten sich ihre Räder und rasten davon.

»Alle weg!«, sagte Sprotte. Ihre Unterlippe zitterte ein bisschen. Ratlos sah sie sich um. Aber die Hennen waren spurlos verschwunden.

Schnaufend kam Trude angerannt. Entsetzt guckte sie in den verlassenen Auslauf. »Vielleicht sind sie im Stall!«, sagte sie.

Sprotte schüttelte den Kopf.

»So eine Gemeinheit!«, stöhnte Frieda. »So eine verdammte Gemeinheit.«

»Komm.« Melanie zog Sprotte am Arm mit sich. »Wo ist das Futter? Vielleicht können wir sie damit anlocken.«

»Eine ist im Kohlbeet!«, rief Frieda. »Die Gescheckte.«

»Pass auf, daß sie nicht wegläuft!«, rief Sprotte. »Wir holen das Futter.«

»Wie soll ich das denn anstellen?«, rief Frieda zurück. Aber die anderen waren schon im Stall verschwunden. Also schlich sie sich ganz vorsichtig hinter das Huhn, um ihm wenigstens den Weg zum Gartentor zu versperren. Beunruhigt hob die Henne den Kopf und zwinkerte mit den kleinen Augen.

»Ganz ruhig, gaaaanz ruhig«, murmelte Frieda.

Die Henne gluckste leise vor sich hin.

Da kamen die andern drei zurück, Melanie und Trude mit Futter in den Händen. Nervös drehte die Henne sich zu

ihnen um. Aber an einem Kohlblatt zupfte sie trotzdem noch mal.

»Komm, Kokoschka, komm!«, sagte Sprotte, während sie sich langsam, ganz langsam ein bisschen näher heranschlich. Melanie warf etwas Futter vor Sprotte auf die Erde.

»Wir müssen sie umzingeln!«, zischte Sprotte. Also verteilten sie sich. Kokoschka reckte interessiert den Hals.

»Hockt euch hin!«, raunte Sprotte. »Dann kommt ihr ihr nicht so schrecklich groß vor.«

»Die kriegen wir nie!«, sagte Melanie.

»Klar kriegen wir sie. Hühner sind nicht besonders schlau. Wirf ihr noch ein bisschen Futter hin.«

Langsam, den Hals neugierig vorgereckt, kam die Henne näher. Allerdings sah sie sich immer wieder besorgt nach den andern Mädchen um. Frieda musste sich ein Kichern verkneifen. Dann stand Kokoschka direkt vor Sprotte. Hastig pickte sie die Körner vor Sprottes Füßen auf. Und da packte Sprotte zu. Empört zeterte Kokoschka los, strampelte mit den roten Beinen, ruckte mit dem Hals. Aber Sprotte hielt fest.

»Nummer eins«, sagte sie und warf Kokoschka über den Zaun in den Auslauf, wo sie sich mit beleidigtem Glucksen ein ruhiges Plätzchen suchte. »Aber wo ist bloß der Rest geblieben?«

Verzweifelt sah Sprotte sich um. Die andern hatten sie noch nie so verstört gesehen.

»Ach, die finden wir schon!« Frieda versuchte sie zu trösten. »So weit können sie ja noch nicht gekommen sein.«

»Du verstehst das nicht!«, rief Sprotte und ihre Unterlippe zitterte. »Meine Oma bringt mich um, wenn eine von den Hennen fehlt.«

»Ach, komm, beruhig dich«, sagte Melanie und tätschelte Sprotte den Arm. »Wegen einem blöden Huhn bringt man doch niemanden um.«

Ärgerlich stieß Sprotte ihre Hand weg.

»Nein, aber ich darf vielleicht nie mehr hierher kommen«, sagte sie barsch. »Kommt, wir suchen weiter.«

Bedrückt folgten die andern ihr.

Huberta und Dolli fanden sie bei der linken Nachbarin im Salatbeet, Emma und Klara auf der anderen Straßenseite im hohen Gras. Die Nachbarin schimpfte wie ein Rohrspatz wegen der zerrupften Salatköpfe, und wegen Emma bekamen sie furchtbaren Ärger mit einem Autofahrer, dem sie vor die Windschutzscheibe flatterte. Nur Isolde blieb unauffindbar.

Zerkratzt, nass geschwitzt und müde gaben die *Wilden Hühner* die Suche auf und kehrten in Oma Slättbergs Küche zurück. Mitten auf dem Tisch lag immer noch der Schlüsselbund. Aber an dessen Geheimnissen war im Moment keine von ihnen interessiert.

»Wenn ich die erwische«, sagte Sprotte düster.

Melanie warf einen Blick auf die Küchenuhr. »Oh, ich muss nach Hause. Aber einen Augenblick verschnauf ich noch.«

»Ich versteh das nicht«, sagte Trude mit kläglicher Stimme. »Woher wussten die, dass wir uns heute hier treffen?«

»Na, vielleicht haben wir hier 'ne Verräterin!« Sprotte ließ ihren Blick über die verschwitzten Gesichter wandern. An Melanie blieb er hängen.

Wütend gab Melanie den Blick zurück. »Was guckst du mich so an? Vielleicht hast du dich ja selber verquasselt.«

Feindselig starrten die beiden sich über den Tisch hinweg an. »Na, ich häng bestimmt nicht dauernd mit den Jungs rum!«, knurrte Sprotte.

»Muss vielleicht jede so 'ne Jungenshasserin wie du sein?«, fauchte Melanie zurück.

»Ach, hört doch bitte auf!«, rief Trude, den Tränen nah.

»Ja, Schluss jetzt!« Wütend haute Frieda auf den Tisch. »Dieses Verrätergerede ist doch völliger Quatsch. Jeder von den Jungs weiß, wo Sprottes Oma wohnt. Sie brauchen bloß einer von uns gefolgt zu sein. Ihr wisst genau, was für 'n Spaß sie an solchem Schwachsinn haben. Außerdem ist Fred schlau genug zu merken, dass wir vier uns plötzlich wieder aufm Klo treffen.« Ärgerlich sah sie Sprotte an. »So genial ist der Treffpunkt nämlich wirklich nicht.«

Zerknirscht guckte Sprotte auf ihre zerkratzten Hände.

»'tschuldigung, Melanie! Ich – ich bin nur so durcheinander, weil Isolde weg ist.«

Melanie zuckte die Schultern und stand auf. »Vergiss es. Mensch, bin ich kaputt. Treffen wir uns morgen wieder?«

»Wenn ihr Lust habt«, sagte Sprotte kleinlaut. Sie guckte immer noch auf ihre Hände.

»Klar, wir wollen doch das Geheimnis des schwarzen Schlüssels ergründen«, sagte Melanie. »Aber jetzt muss ich wirklich los.«

»Hoffentlich kommt dein Huhn zurück«, sagte Trude, bevor sie mit Melanie verschwand.

Sprotte nickte. »Ja, hoffentlich.«

»Kommst du wieder nicht mit?«, fragte Frieda besorgt. Unschlüssig stand sie in der Küchentür. »Du kannst bei uns mitessen. Mam hat schon ein paarmal gefragt, wo du isst, wenn deine Oma nicht da ist.«

Müde schüttelte Sprotte den Kopf. »Ich bleib heute Nacht hier und pass auf. Meine Mutter fährt Nachtschicht.«

»Was? Du willst die ganze Nacht alleine hier sein?« Ungläubig sah Frieda ihre beste Freundin an.

Sprotte zuckte die Schultern. »Klar. Zu Hause wär ich doch auch alleine. Und vielleicht kommt Isolde ja heute Nacht zurück.«

»Ich weiß nicht.« Zögernd blieb Frieda stehen. »Aber musst du ja selbst wissen. Bis morgen dann, ja?«

»Bis morgen«, sagte Sprotte. Und war wieder allein. Aber das war sie ja gewohnt.

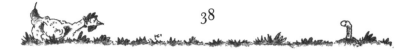

Im Gartenschuppen fand Sprotte alles, was sie brauchte –
Bindfaden, einen kleinen Handbohrer, einen alten Blumenkasten und jede Menge leere Konservendosen. Die hob Oma
Slättberg auf, um Nägel, Knöpfe und lauter anderen Krims-
krams darin zu sammeln. Sprotte entdeckte auch drei Mausefallen, in die ihre Oma vor der Abreise frischen Speck gelegt
hatte. Sie ließ sie zuschnappen. Dann schleppte sie die Dosen
und alles andere zum Gartentor. Von Isolde war immer noch
weit und breit nichts zu entdecken.

»Na, wartet«, murmelte Sprotte, während sie mit dem Handbohrer Löcher in die Dosenwände bohrte. Sie versuchte,
nicht an all die schrecklichen Dinge zu denken, die Isolde
passieren konnten. Aber besonders gut klappte das nicht.
Ganz schlecht war ihr vor Sorge – und Angst vor dem, was
ihre Oma sagen würde.

Den Blumenkasten stellte sie umgekehrt hinter die Hecke, so-
dass er durchs Tor nicht zu sehen war. Als Nächstes zog sie
einen langen Bindfaden durch die Dosenlöcher und reihte die
zusammengebundenen Dosen auf dem Blumenkasten auf.
Dann band sie das lange Ende des Fadens an der Klinke des

Gartentors fest. Mit grimmiger Miene betrachtete sie ihr Werk. Ja, das musste klappen. Wenn jetzt jemand das Gartentor öffnete, fielen die Dosen vom Blumenkasten runter und machten so einen Lärm, dass sie es bis ins Haus hören würde.

Vorsichtshalber probierte Sprotte ihre Alarmanlage selber aus. Der Erfolg war beeindruckend. Herr Feistkorn, Oma Slättbergs ewig schlecht gelaunter Nachbar, guckte über die Hecke und schnauzte: »Was ist hier los?« Und mindestens drei Hunde in der Nachbarschaft fingen wütend an zu kläffen. Na, wenn das nicht alle spionierenden *Pygmäen* auf der Stelle in die Flucht schlug!

Sorgfältig stellte Sprotte die Dosen wieder auf und lief zum Hühnerstall. Die Hühner saßen schon auf ihren Stangen, die Augen geschlossen, die Federn aufgeplustert. Als Sprotte hereinkam, um noch mal nach Eiern zu sehen, gackerten sie verschlafen. Emma saß ganz vorne, Kokoschka hinter ihr, daneben Huberta. Sprotte staunte wieder mal, wie früh Hühner schlafen gehn. Oma Slättberg hatte ihr erklärt, dass das schwächste Huhn immer vorne sitzt und die stärkste Henne in der Mitte. Weil sie's da nachts, wenn es kalt wird, am wärmsten hat. Im Winter steckt sie sogar ihren Kamm unter das Hinterteil der Henne vor ihr, damit er nicht erfriert. Sonst saß Isolde immer in der Mitte.

Wenn Fred jetzt hier wäre oder irgendein anderer von diesen blöden *Pygmäen*, dachte Sprotte, ich würde den so verhauen, dass er drei Tage nicht sitzen kann.

In den Nestern lagen drei Eier. Natürlich waren es keine richtigen Nester, sondern kleine Holzkisten, mit Stroh gepolstert und mit einem Kalkei drin, damit die Hennen besser legten.

Vorsichtig nahm Sprotte die Eier heraus. »Schlaft gut!«, sagte sie. Dann ging sie leise hinaus und verriegelte die Tür hinter sich. Der Stall hatte einen winzigen Vorraum, in dem Sprottes Oma Stroh und Futtersäcke aufbewahrte. Sprotte legte die Eier ins Stroh, füllte einen alten Blumentopf mit Futter und lief wieder nach draußen.

Es war immer noch ganz warm. Nebenan mähte jemand seinen Rasen und irgendwo balgten sich lautstark zwei Katzen. Katzen! Ach, dachte Sprotte, mit 'ner Katze wird Isolde schon fertig.

Als sie gerade eine Futterspur vom Tor zum Stall streute, hörte sie das Telefon klingeln. Sie rannte ins Haus. »Ja, hallo, hier bei Slättberg«, sagte sie etwas außer Atem.

»Wo warst du denn?«, raunzte ihre Oma ihr ins Ohr. »Ich habe es schon mindestens zehnmal klingeln lassen.«

»Ich? Wieso – ich war im Garten«, stotterte Sprotte. Ihr Herz klopfte so laut, dass sie dachte, ihre Oma würde es hören.

»Ist irgendwas nicht in Ordnung?«

»Wieso? Nein, alles in Ordnung.« Sprottes Oma merkte sofort, wenn Sprotte log, weil sie dann rot wurde. »Rot wie Kirschmarmelade«, sagte Oma Slättberg immer. Aber durchs Telefon konnte sie das ja zum Glück nicht sehen.

»Hm. Denk bloß dran, daß du den Stall immer verriegelst. Du weißt, wie leicht die Tür aufspringt«, sagte sie.

»Ja, klar.« Wenn die wüsste!, dachte Sprotte. Den Kopf würd sie mir abreißen.

»Du hörst dich irgendwie komisch an«, sagte Oma Slättberg. »Bist du krank?«

»Nein!«, sagte Sprotte. »Mir geht's gut. Wirklich.«

»Na gut.« Oma Slättberg räusperte sich. »Wieso bist du eigentlich noch da? Du müsstest doch längst zu Hause scin!«

»Mama arbeitet noch«, murmelte Sprotte.

»Was hast du gesagt? Nuschel doch nicht so.«

»Mama arbeitet noch!«, wiederholte Sprotte.

»Deine Mutter arbeitet zu viel.«

»Geht doch nicht anders«, sagte Sprotte und streckte dem Hörer die Zunge raus.

»Mach's gut«, brummte Oma Slättberg. Und knallte den Hörer auf. So beendete sie ihre Telefonate immer. Knallte einfach den Hörer auf. Das sollte ich mal machen, dachte Sprotte. Dann nahm sie ihre Schultasche, setzte sich an den Küchentisch und machte Hausaufgaben. Obwohl sie ganz zittrig war vor Wut. Und krank vor Sorge um Isolde.

Sprotte wurde davon wach, dass die Dosen schepperten. Erschrocken fuhr sie hoch – und merkte, dass sie immer noch am Küchentisch saß. Draußen war es stockdunkel.

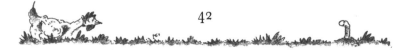

Verflixt! Einfach eingeschlafen!, dachte sie. Das Herz klopfte ihr bis zum Hals. Wer konnte das da draußen sein? Die *Pygmäen* lagen doch bestimmt längst in ihren Betten. Mit angehaltenem Atem schlich Sprotte durch den dunklen Flur zur Tür. Was, wenn's ein echter Einbrecher war? Oder jemand, der nach Oma Slättbergs Schatz suchte? Vorsichtig öffnete Sprotte die Tür und lugte hinaus.

Viel zu sehen war in der Dunkelheit natürlich nicht. Aber sie hörte jemanden fluchen. Er kam auf das Haus zu! Sprotte klammerte sich an die Klinke. Zurück in die Küche, dachte sie. Zum Telefon. Aber sie war ganz steif vor Angst.

»Sprotte? Mach doch mal Licht an, um Gottes willen. Was soll der Blödsinn mit den Dosen? Willst du, dass ich mir die Beine breche?«

»Mama!«, sagte Sprotte verblüfft. »Wo – wo kommst du denn her?«

»Ich bin beim Fahren fast eingeschlafen«, sagte Sprottes Mutter. Ihr müdes Gesicht tauchte aus der Dunkelheit auf. »Da habe ich mir gedacht, fahr früher nach Hause und überrasch deine Tochter. Aber was finde ich zu Hause?« Seufzend lehnte sie sich in den Türrahmen. »Einen Zettel. ›Mama, ich schlaf bei Oma.‹ Sonst nichts. Du weißt genau, dass ich dir das nicht erlaubt hätte. So einsam, wie es hier ist.«

»'tschuldigung«, murmelte Sprotte. »Aber ich hatte einfach keine Lust, in die leere Wohnung zu fahren.«

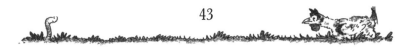

»Na, schon gut«, sagte ihre Mutter und zog sie an sich. »Aber mach es nicht wieder, ja? Versprichst du mir das?«

Sprotte nickte.

Ihre Mutter gab ihr einen Kuss aufs Haar und sie gingen zusammen in die Küche.

»Nicht mal geschlafen hast du«, sagte Sprottes Mutter. »Was soll denn das morgen in der Schule geben, hm?« Sie rieb sich ihr Knie.

»Was hast du denn?«, fragte Sprotte besorgt.

»Das habe ich deiner Alarmanlage zu verdanken. So was soll das doch sein, oder? Mein Gott, ich habe mich fast zu Tode erschreckt.«

»Das war eigentlich für die *Pygmäen.*« Sprotte räumte ihre Schulsachen zusammen. »Soll ich dir Tee machen?«

Ihre Mutter gähnte. »Ja, gerne. Was denn für *Pygmäen?*«

»Ach, die Bande von Fred«, sagte Sprotte. »Ich hab mich heute hier mit meiner Bande getroffen und da haben die Jungs hinter uns herspioniert und die Hühner rausgelassen.«

»Oje. Omas Hühner?« Müde setzte sich Sprottes Mutter an den Küchentisch und legte die Beine auf einen Stuhl. »Ich hoffe, sie sind noch alle da.«

»Eben nicht!«, sagte Sprotte, während sie an den verschiedenen Teesorten schnüffelte. »Es ist alles ganz schrecklich. Isolde ist weg!« Sprotte schossen die Tränen in die Augen. Hastig wischte sie sie weg. »Willst du Rosenblüten- oder Kokostee?«

Das war der einzige Luxus, den sich Oma Slättberg leistete –
ihre verrückten Teesorten.

»Rosenblüten«, sagte Mama. »Das wird aber ordentlich Ärger
geben, wenn Oma zurückkommt. Was machen wir denn da?«

»Vielleicht findet Isolde ja heute Nacht zurück«, sagte Sprotte
leise. »Sie ist viel klüger als die andern Hennen.« Aber sehr
zuversichtlich klang das nicht. Vorsichtig goss sie das ko-
chende Wasser über den Tee. Sofort roch die ganze Küche
nach Rosen.

»Weißt du was?«, sagte Mama. »Wir trinken jetzt unseren
Tee und dann suchen wir Isolde. Ich habe eine Taschenlampe dabei.«

»Das wär toll«, schniefte Sprotte und ihr schossen schon wieder die Tränen in die Augen. »Ich mach mir nämlich furcht-
bare Sorgen.«

Es war wirklich eine pechschwarze Nacht. Die Straße, in der
Oma Slättberg wohnte, war nur spärlich beleuchtet und die
Taschenlampe von Sprottes Mutter tastete wie ein dünner
Lichtfinger in der Dunkelheit herum.

»Isolde ist doch die Weiße, nicht?«, fragte Mama leise.

»Hm.« Sprotte nickte.

»Dann müsste sie doch zu finden sein.«

Wenn sie nicht gefressen worden ist oder von einem Auto
überfahren, dachte Sprotte.

Sie leuchteten in die wilden Wiesen, unter die Hecken und in

die Gärten. Zwei Katzen und einen dicken Igel scheuchten sie auf, aber ein weißes Huhn war nirgends zu entdecken. Als sie ans Ende der Straße kamen, blieb Sprottes Mutter stehen. Kopfschüttelnd leuchtete sie in den Wald, der sich von hier aus viele Kilometer weit erstreckte.

»Wenn Isolde da hineingelaufen ist, finden wir sie nie«, sagte sie. »Außerdem möchte ich, ehrlich gesagt, um diese Zeit nicht im Wald herumlaufen. Es tut mir Leid.«

Unglücklich sah Sprotte sie an.

»Aber was mach ich denn jetzt?«, fragte sie.

»Komm«, sagte ihre Mutter, legte ihr den Arm tröstend um die Schultern und machte sich mit ihr auf den Rückweg. »Ich versprech dir, uns fällt was ein.«

Aber Sprotte sah sich immer wieder um.

»Wir werden zusammen mit Oma sprechen«, sagte ihre Mutter. »Und am besten erzählen wir ihr einfach die Wahrheit – dass du gar nichts dafür konntest, dass die Jungs euch ärgern wollten und . . .«

»Aber das geht nicht!«, rief Sprotte verzweifelt. »Dann erfährt Oma doch, dass ich die andern hierher gebracht habe. Und das hat sie mir doch verboten!« Jetzt half gar nichts mehr. Sprotte heulte los.

Ratlos drückte ihre Mutter sie an sich. »Das hat sie dir verboten?«, fragte sie leise.

Sprotte nickte – und wischte sich verlegen mit dem Ärmel übers Gesicht.

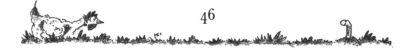

Ihre Mutter schwieg. Drückte sie an sich und schwieg.

»Das werden die Jungs mir büßen!«, schluchzte Sprotte. »Das schwör ich oder ich will tot umfallen.«

»Sie müssen dir ein neues Huhn kaufen«, sagte ihre Mutter. »Und es muss so weiß sein wie Isolde. Vielleicht merkt Oma dann gar nichts.«

»Hm.« Die Strafe kam Sprotte viel zu harmlos vor. Außerdem merkte Oma Slättberg das ganz bestimmt. Müde öffnete sie das Gartentor. Ihre Alarmanlage hatten sie erst mal weggeräumt.

»Sprotte, guck mal!«, flüsterte ihre Mutter. »Da, auf dem Kohlbeet.«

Zwischen den Kohlköpfen leuchtete etwas Weißes.

»Bleib du besser da stehen«, sagte Sprotte aufgeregt. »Ich mach das schon.«

Gebückt und ganz langsam ging sie auf den weißen Fleck in der Dunkelheit zu. »Na, Isolde?«, sagte sie leise. »Na, meine süße, schöne Isolde?«

Die Henne gluckste und streckte den Hals. Und dann, als Sprotte sich vor ihr auf die kühle Erde kniete, hockte die Henne sich auch hin und gackerte leise und zufrieden.

Behutsam schob ihr Sprotte eine Hand unter den warmen Bauch, legte die andere auf die Flügel und hob die Henne hoch.

»Ach, Isolde«, sagte sie und schmiegte ihr Gesicht an die

weichen Federn. Dann trug sie ihre Lieblingshenne zurück in den Stall und setzte sie zu den andern auf die Stange.

»Na«, sagte ihre Mutter, als Sprotte wieder aus dem Stall kam, »dann können wir ja jetzt beruhigt nach Hause fahren, was?«

»Ja, ich schließ nur noch ab.« Sprotte lief zum Haus. Vor Freude hüpfte sie wie ein junges Kaninchen. »Ach übrigens, Mama«, rief sie, als sie vor der Tür stand, »weißt du, wofür der schwarze Schlüssel an Omas Schlüsselbund ist?«

»Was für ein schwarzer Schlüssel?« Ihre Mutter gähnte.

»Ach, ist schon gut«, sagte Sprotte. »Ist nicht so wichtig.« Und dann fuhren sie nach Hause.

»Na, wie war denn die Hühnerjagd?«, grölte Thorsten, genannt Torte, Sprotte entgegen, als sie am nächsten Morgen in die Klasse kam. Torte war das kleinste und lauteste Mitglied der *Pygmäen* und nach Sprottes Meinung absolut unterbelichtet. Ständig riss er irgendwelche Witze, über die nur er selber lachen konnte.

Die andern *Pygmäen* waren auch schon da: Fred saß auf seiner Stuhllehne, grinste und zupfte zufrieden an seinen abstehenden Ohren. Am linken Ohrläppchen hing deutlich sichtbar der *Pygmäen*-Ohrring. Neben Fred hockte der dicke Steve und kicherte albern. Er fummelte mal wieder mit einem zerfledderten Kartenspiel herum, denn er hielt sich für einen großen Zauberer und übte immer irgendwelche langweiligen Kartentricks. Hinter Fred und Steve stand groß und breit das vierte Bandenmitglied – Willi, den alle den Würger nannten, weil er im Streit gleich jeden in den Schwitzkasten nahm. Willi machte wie immer ein richtiges Frankenstein-Gesicht. Ohne ein Wort ging Sprotte an den *Pygmäen* vorbei zu ihrem Platz.

»Mensch, wir mussten uns schon Sprüche anhören!«, stöhnte

Frieda. »Nicht zum Aushalten. Nur Melanie haben sie wieder in Ruhe gelassen.«

»Na klar!«, knurrte Sprotte. Alle Jungs himmelten Melanie an. Die schöne Melanie. Die wunderbare Melanie. Sie hockte mit Trude auf der Fensterbank und hatte rote Flecken im Gesicht. Die bekam sie immer, wenn sie wütend war.

»So was wie gestern dürfen wir uns nicht gefallen lassen!«, zischte Melanie, während sie die grinsenden Jungs mit Giftblicken durchbohrte. Torte warf ihr Kusshände zu. Rot vor Wut schmiss sie ihm Friedas Radiergummi an den Kopf.

Die Tür ging auf und Herr Schemmelmann, der kugelrunde Biolehrer, rollte herein.

»Nächste Pause auf dem Klo!«, flüsterte Sprotte, bevor sie alle auf ihre Plätze gingen. Fred fing wieder mit seinem Gegacker an, worauf Herr Schemmelmann ihn ausführlich über Hühnervogelarten ausfragte. Danach herrschte für den Rest der Stunde Ruhe.

Beim ersten Pausengong sprangen die *Wilden Hühner* auf und machten sich geschlossen auf den Weg zum Mädchenklo.

»He, sie gehen wieder zur Beratung aufs Klo!«, brüllte Torte hinter ihnen her. Und Steve rief mit seiner Kieksstimme: »Wollt ihr euch heute nicht mal auf dem Jungensklo treffen?« Das entlockte sogar Willi, dem Würger, ein Grinsen.

»Nee, da stinkt's uns zu sehr!«, rief Sprotte zurück. »Denen

50

wird ihr blödes Lachen bald vergehen«, flüsterte sie den andern zu.

»Wieso? Hast du schon 'ne Idee?«, fragte Frieda und sah über die Schulter.

Die *Pygmäen* folgten ihnen – mit Sicherheitsabstand. Dabei wackelten sie mit dem Hintern und schürzten die Lippen.

»Eine genaue Idee noch nicht«, sagte Sprotte. »Aber es wird uns schon was einfallen.«

»Ich glaub, die kommen uns nach«, flüsterte Trude besorgt, als sie vor der Klotür standen.

»Da trauen sie sich nicht rein«, sagte Sprotte.

Und wirklich, die *Pygmäen* gackerten, schlugen mit den Flügeln – und blieben stehen.

»Frieda, kletter auf den Klodeckel und halte Wache«, sagte Sprotte, als sie sich wieder in der engen Kabine drängten.

»Ich denk, du hast gesagt, sie trauen sich nicht«, sagte Melanie.

Sprotte zuckte die Schultern. »Bei den Irren weiß man nie.«

»Hast du dein Huhn wieder gefunden?«, fragte Trude.

Sprotte nickte und rieb sich die Nasenspitze. »Ja, zum Glück. Aber was meint ihr, was die Ärmste für 'ne Angst ausgestanden hat. Das werden diese *Pygmäen* mir büßen.«

»Ja, und ihre dummen Sprüche auch«, sagte Melanie und strich sich über die Backe. Zwei rote Flecken hatte sie immer noch.

»Also, eins ist schon mal günstig«, sagte Sprotte, »wir wissen, wo die *Pygmäen* sich treffen.«

Frieda nickte. »In dem Wäldchen hinterm Schrottplatz, das weiß doch jeder.«

»Genau. Da haben sie sich eine Bude aus lauter Müll zusammengebaut.«

»Nein, sie haben jetzt ein Baumhaus«, sagte Melanie. »Ein tolles Ding. Ganz oben in einem toten Baum.«

»Ach?« Misstrauisch sah Sprotte sie an. »Woher weißt du denn das?«

Melanie wurde rot bis unter die Locken. »Na, woher wohl?«, sagte sie schnippisch. »Ich bin da gewesen. Fred hat mich eingeladen.«

»Oohoooh, eingeladen!« Sprotte stieß einen bewundernden Pfiff aus.

»Bist du blöd!«, sagte Melanie. »Die Jungs sind gar nicht so übel, wie du denkst.«

»Ach, und was war das gestern?«, fauchte Sprotte. »War das etwa nicht übel?«

»Pssst!«, zischte Frieda plötzlich von oben. »Torte ist da!«

»Was?« Sprotte drängte sich zwischen Melanie und der völlig sprachlosen Trude durch und riss die Tür auf.

Da stand Torte. Kichernd und mit den Hüften wackelnd. Mit zwei winzigen Zöpfchen auf dem Kopf.

»Na?«, flötete er mit gespitzten Lippen. »Üst eure göheime Böspröchung schon vorüber? Wü schaaade!«

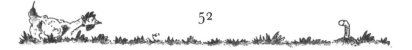

Zwei kleinere Mädchen, die gerade reinkamen, kicherten. Aber eine von den Großen, die vorm Spiegel an ihren grün gefärbten Haaren rumschnippelte, packte Torte ohne ein Wort am Kragen und setzte ihn vor die Tür.

»Danke!«, sagte Frieda von ihrem Ausguck herunter.

»Keine Ursache«, sagte die Grüne und wandte sich wieder ihrem Haarschnitt zu.

Sprotte, Melanie und Trude quetschten sich wieder in ihre Kabine.

»Also, sie haben ein Baumhaus«, sagte Sprotte. »Darauf können wir uns verlassen, oder?«

Melanie kniff nur ärgerlich die Lippen zusammen.

»Gut, dann«, Sprotte rieb sich die Nase, »dann ist die ganze Sache natürlich total einfach.«

Verblüfft sah Trude sie an. »Wieso? Versteh ich nicht!«

»Na, denk doch mal einen Moment nach!«, sagte Sprotte.

»Ich weiß!«, rief Frieda und sprang vom Klo runter.

»Na klar!«, sagte Melanie und lachte.

Nur Trude zuckte ratlos die Schultern.

»Okay«, seufzte Sprotte. »Ich erklär's dir. Also pass auf . . .«

Nach der Schule ging Sprotte mit zu Frieda, denn Friedas Mutter hatte sie zum Essen eingeladen. Sprotte war ziemlich froh darüber, denn in den letzten Tagen hatte sie sich immer selbst was gekocht – Eier mit Salzkartoffeln. Das war das Einzige, was sie zustande brachte.

»Streite dich aber bloß nicht wieder mit meinem Bruder«, sagte Frieda, als sie sich die Treppe in den vierten Stock hochquälten.

»Kann ich nicht versprechen. Manchmal ist er einfach zu blöd.«

»Ach was, so schlimm ist er gar nicht! Du hast nur einfach was gegen Jungs.«

»Stimmt. Weil sie alle blöd sind.«

Frieda seufzte. »Mensch, du bist schon fast so giftig wie deine Oma. Färbt das ab oder so?«

Das saß. Zwei Stufen lang kaute Sprotte sprachlos auf ihrer Lippe herum. Wenn jemand anders so was zu ihr gesagt hätte, dann hätte sie sich auf der Stelle umgedreht und wäre weggegangen. Aber Frieda war schließlich ihre beste Freundin. Und Frieda konnte ziemlich beleidigt sein, wenn man sie

einfach stehen ließ. Einmal hatte sie eine Woche lang kein Wort mit Sprotte gesprochen. Eine Woche!

Deshalb murmelte Sprotte nur: »Immer nimmst du deinen Bruder in Schutz.«

»Stimmt gar nicht«, sagte Frieda. »Aber er ist schließlich mein Bruder. Das verstehst du nicht, weil du eben keinen hast.«

»Na, zum Glück«, sagte Sprotte. »Darauf kann ich wirklich gut verzichten!« Wer war schon so blöd, sich einen Bruder zu wünschen? Sie jedenfalls nicht.

Das Mittagessen verlief erst ganz friedlich. Es gab Spagetti, extra für Sprotte, und Friedas Vater erzählte einen Witz nach dem andern, bis Sprotte vor Lachen keinen Bissen mehr runterbekam. Titus, Friedas älterer Bruder, war zum Glück so mit seinen Spagetti beschäftigt, dass er gar nichts sagte.

Aber dann, als Sprotte sich gerade den köstlichen Nachtisch auf der Zunge zergehen ließ, sagte Friedas Mutter: »Ich bin heute Nachmittag zum Kaffee eingeladen, Frieda. Spätestens um sechs bin ich zurück. Vielleicht hat Sprotte ja Lust, dir Gesellschaft zu leisten, und ihr passt zusammen auf Luki auf, ja?«

Friedas Löffel blieb in der Luft hängen und Sprotte verschluckte sich.

»Aber wir haben heute Nachmittag was Wichtiges vor!«, sagte Frieda.

55

»Was denn?«, fragte ihr Vater. »Irgendwas für die Schule?«
Sprotte und Frieda schüttelten den Kopf.
»Na, dann könnt ihr das doch bestimmt auf morgen verschieben, oder?«
»Kann Titus nicht mal aufpassen?«, fragte Frieda.
»Ich muss zum Fußball!«, sagte Titus mit vollem Mund.
»Also, Frieda, bitte!«, sagte ihre Mutter.
Frieda sah auf ihren Teller und schwieg.
Sprotte stieß sie unter dem Tisch an. Aber Frieda sagte immer noch nichts.
Titus schmatzte seelenruhig weiter, als hätte die ganze Sache nicht das Geringste mit ihm zu tun. Sprotte hätte vor Wut platzen können. Verzweifelt sah sie Friedas Mutter an.
»Es ist wirklich unheimlich wichtig«, sagte sie. »Frieda muss dabei sein. Unbedingt.«
Friedas Mutter lachte verlegen. »Was ist das denn nur für eine Sache? Nun rückt schon mit der Sprache heraus. Frieda.«
Frieda schüttelte den Kopf. »Das geht nicht. Es ist geheim«, sagte sie.
»Hört euch die an.« Titus schüttelte kichernd den Kopf.
»Schluss jetzt«, sagte Friedas Vater, »lasst uns endlich in Ruhe essen. Schließlich kann nicht alles nach der Nase der Kinder gehen.«
»Titus muss bloß nicht aufpassen, weil er ein Junge ist«, sagte Sprotte leise. »Nur weil er ein blöder Junge ist.«

Erstaunt sahen Friedas Eltern sie an. Frieda sagte immer noch nichts. Sie wurde nur ganz weiß um die Nase.

»Aber das – das ist doch Unsinn, Charlotte«, sagte Friedas Mutter.

»Was geht dich das überhaupt an?«, knurrte Titus über den Tisch.

»Sei du bloß ruhig, du blöde Sportskanone!«, fauchte Sprotte.

»Hört auf!«, sagte Friedas Vater ärgerlich. »Nächstes Mal passt Titus auf, aber heute übernimmt Frieda die Sache noch mal. Und jetzt will ich nichts mehr hören.«

»Einverstanden?«, sagte Friedas Mutter und fasste nach Friedas Hand.

Frieda sah ihre Mutter an – und nickte.

Titus grinste Sprotte an und nahm sich noch eine Portion Spagetti.

Das war zu viel. Ohne ein Wort sprang Sprotte auf, lief in den Flur, packte ihre Schultasche und riss die Wohnungstür auf.

»Bloß, weil er ein blöder Junge ist!«, rief sie zurück und dann knallte sie die Tür hinter sich zu.

Die *Wilden Hühner* hatten sich am Schrottplatz verabredet. Als Sprotte völlig außer Puste ankam, waren Melanie und Trude schon da. Trude verschlang gerade mit Heißhunger einen von ihren Lieblingsschokoriegeln.

»Wo ist Frieda?«, fragte Melanie überrascht. »Wolltet ihr nicht zusammen kommen?«

»Frieda darf babysitten«, sagte Sprotte.

»Na, ein Glück, dass ich keinen kleinen Bruder hab«, seufzte Melanie.

»Och, ich hätte gern einen«, sagte Trude. »Aber meine Eltern wollen nicht.«

»Unsre Fahrräder lassen wir am besten hier«, sagte Sprotte und stieß Melanie an. »Geh du voran. Du warst als Letzte hier.«

Der kleine Wald, in dem die *Pygmäen* ihren Unterschlupf hatten, fing gleich hinter dem Zaun an, der den Schrottplatz umgab. Ein paar Spazierwege führten hinein, aber die benutzten die drei *Wilden Hühner* natürlich nicht. Melanie hatte ausnahmsweise mal kein Kleid, sondern eine Tigerhose an und führte sie ohne Zögern durch Dickicht und Dornen immer weiter in den Wald hinein. Bald war der Schrottplatz nicht mehr zu sehen und um sie her war nichts als meterhoher Farn und Bäume.

»Da vorne ist es schon«, flüsterte Melanie. Vor ihnen lag ein brackiger, algengrüner Tümpel, an dessen Ufer ein hoher alter Baum stand. Sein Stamm ragte aus dem Wasser, seine Krone war völlig kahl und mittendrin hatten die *Pygmäen* ihr Baumhaus gebaut. Es war aus alten Brettern zusammengezimmert und in so ungefähr jeder Farbe gestrichen, die man sich vorstellen kann. Als Dach hatten die Jungs einfach einen

alten Sonnenschirm genommen. Auf dem Fußboden lagen
Teppiche vom Sperrmüll. Und hinauf führte eine windschief
zusammengenagelte Leiter.

»Donnerwetter!«, flüsterte Sprotte.

Die *Pygmäen* waren zu Hause. Sie saßen am Rand der geräu-
migen Plattform, auf der sie ihr Haus errichtet hatten, baumelten mit den Beinen und aßen Chips.

Ein Radio dröhnte bis zu den *Wilden Hühnern* herunter.

»Praktisch!«, flüsterte Melanie. »Bei der Lautstärke würden sie
uns nicht mal hören, wenn wir auf einem Elefanten kämen.«

»Stimmt!«, sagte Trude und kicherte.

»Ja, aber sehen können sie uns«, murmelte Sprotte.

»Allerdings. Von da oben hat man eine prima Aussicht«,
sagte Melanie leise.

»Na, du musst es ja wissen«, sagte Sprotte, worauf Melanie
ihr eine Fratze schnitt.

Sprotte rieb ausgiebig ihre Nase. Das wirkte sonst wirklich
Wunder beim Denken. Aber hierbei gab's eigentlich nicht
viel zu denken.

»Wir müssen's einfach riskieren«, flüsterte sie. »Das Dickicht
reicht ja zum Glück fast bis an die Leiter ran. Und danach
kommt's nur noch auf Schnelligkeit an. Fertig?«

Die beiden andern nickten.

»Also los!«, flüsterte Sprotte und lautlos wie die Indianer
schlichen sie auf das Baumhaus zu. Obwohl das bei dem
Radiolärm wirklich nicht der Mühe wert war.

Die Fußsohlen der *Pygmäen* baumelten immer noch lässig über ihren Köpfen.

»Rache für Isolde!«, flüsterte Sprotte.

Und dann rannten sie. Raus aus dem Dickicht, über schlüpfrige Erde auf die Leiter zu – und kippten sie um. Langsam, wie in Zeitlupe, schwankte sie in der Luft, bis sie sich plötzlich zur Seite neigte und klatschend in den Tümpel kippte.

Als die entsetzten Gesichter von Torte, Fred, Steve und Willi über den Plattformrand lugten, war längst alles zu spät.

Die *Wilden Hühner* führten einen Freudentanz auf.

»Juhuuuhu!«, brüllten sie. »Jipiiihh!« Grüne Algenbrühe lief ihnen die Arme runter, denn die Leiter hatte sie beim Aufklatschen pitschnass gespritzt.

»Heeee!«, brüllte Fred und Willi stellte endlich das Radio ab.

»Ihr seid wohl verrückt geworden?« Tortes Stimme überschlug sich fast. »Stellt sofort die Leiter wieder hin.«

Das löste bei den *Wilden Hühnern* nur einen unglaublichen Lachanfall aus.

»Das ist euch Feiglingen hoffentlich 'ne Lehre!«, rief Sprotte hinauf, während Melanie und Trude sich immer noch vor Lachen krümmten. »Wenn ihr das nächste Mal Streit wollt, dann legt euch mit uns an, aber nicht mit 'n paar armen Hühnern!«

»Aber – aber das – das war doch bloß Spaß!«, rief Steve mit Kieksstimme herunter.

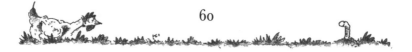

»Na, das hier ist auch bloß Spaß!«, rief Sprotte zurück. »Macht's gut – und genießt die tolle Aussicht.«

»Was soll denn das heißen?«, brüllte Fred und wäre vor Wut fast kopfüber vom Baum gefallen. »Ihr könnt doch nicht einfach abhauen.«

»Klar können wir das«, rief Melanie. »Seid ihr ja gestern auch. Und wir durften Hühner jagen.«

»Stellt sofort die Leiter wieder hin!«, brüllte Willi mit krebsrotem Kopf. »Oder es passiert was!«

»Na, was denn?«, fragte Sprotte interessiert. »Willst du mir eine Luftpost schicken oder was?«

Trude kriegte vor Lachen schon fast keine Luft mehr.

»Kommt!«, sagte Sprotte und hakte sich bei Melanie und Trude ein. »Wir gehen. Ach, übrigens . . .« Sie drehte sich noch mal um. »Ich versteh wirklich nicht, wieso man so blöd sein kann, so 'ne Leiter nicht festzumachen.«

»Bleibt hier!«, brüllte Torte.

»Kommt zurück!«, brüllte Fred.

»Das werdet ihr uns büßen!«, schrie Steve.

Aber da waren die *Wilden Hühner* schon wieder im Wald verschwunden.

Eine Stunde später saßen Sprotte, Melanie und Trude nebeneinander auf Oma Slättbergs Sofa und kicherten immer noch. »Hee, kommt zurühüück!«, äffte Sprotte Fred nach und die andern zwei lagen auf dem Tisch vor Lachen.

»Torte hat rumgezappelt wie 'n wildgewordener Schimpanse!«, prustete Melanie.

»O Mann, hört auf!«, stöhnte Trude und wischte sich die Lachtränen aus den Augen. »Mir tut schon alles weh vor Lachen.«

»Habt ihr den Würger gesehen?« Sprotte rollte mit den Augen wie Willi, wenn er wütend war. »Der wird langsam 'ne echte Frankenstein-Konkurrenz.«

»Aufhören!«, japste Trude. »Aufhören oder ich platze!«

Sprotte sprang auf. »Wisst ihr was? Wir haben uns 'ne Belohnung verdient!« Sie holte Oma Slättbergs verbotene Kekse aus dem Schrank und stellte die große Dose auf den Tisch. Sollte Oma doch meckern oder wieder drei Tage kein Wort reden – egal. Heute war alles egal.

Entzückt nahm Trude sich einen Schokoladenkeks.

Melanie hob ihren Keks wie ein Sektglas in die Höhe. »Auf die tollste Bande der Welt!«, rief sie. »Prost.«

Kichernd stopften die drei sich die verbotenen Köstlichkeiten in den Mund.

»Auf die *Wilden Hühner*!«, rief Trude – und griff nach dem nächsten Keks.

»Wisst ihr was«, sagte Melanie. »Jetzt lösen wir auch das Rätsel des schwarzen Schlüssels.«

»Genau!« Sprotte holte den Schlüsselbund aus der Hosentasche. Melanie und Trude betasteten den schwarzen Schlüssel mit Expertenmiene.

»Also, in eine Kassette oder so was kann er nicht passen!«, stellte Melanie fest. »Dafür ist er zu groß. Sieht eher nach einem Kellerschlüssel aus.«

»Meine Oma hat aber keinen Keller«, sagte Sprotte. »Hier gibt's nur eine Vorratskammer und einen Dachboden.«

»Dachboden hört sich doch gut an«, sagte Melanie. »Geheimnisse verstecken die Leute meistens auf dem Dachboden. Jedenfalls ist das in Filmen immer so.«

Sprotte rieb sich die Nase. »Meine Oma behauptet, da oben spukt's.«

»Ach was!« Melanie stand auf. »Das hat sie dir bestimmt nur erzählt, damit du nicht rumstöberst.«

»Wahrscheinlich«, murmelte Sprotte. Ganz sicher war sie sich allerdings nicht.

Kichernd zog Melanie sie und Trude vom Sofa hoch. »Na

klar, oder glaubst du etwa an Gespenster? Deine Oma ist ganz schön raffiniert.«

Also führte Sprotte Melanie und Trude die Treppe hinauf in den ersten Stock, wo Oma Slättberg ihr Schlafzimmer hatte und wo auch das winzige Zimmerchen war, in dem Sprotte manchmal schlief.

»Ist das deine Mutter?« Melanie blieb vor einem der vielen vergilbten Fotos stehen, die in angelaufenen Silberrahmen an der Wand hingen.

Sprotte nickte. »Da war sie, glaub ich, achtzehn oder so.«

»Und das da oben?« Trude stellte sich auf die Zehenspitzen. »Ist sie das als Kind?«

»Hm.« Sprotte öffnete die Dachluke über ihren Köpfen und zog eine Leiter herunter. Misstrauisch guckte sie nach oben. Melanie und Trude standen immer noch vor den Fotos. »Du siehst deiner Mutter aber nicht besonders ähnlich«, stellte Melanie fest. »Die blonden Haare hast du wohl von deinem Vater, was?«

»Keine Ahnung!«, murmelte Sprotte. »Kommt ihr?«

»Ach ja, du kennst deinen Vater ja gar nicht«, sagte Melanie, schob sich an Sprotte vorbei und stieg als Erste die Leiter hinauf. Sprotte kniff die Lippen zusammen. Erst die Gespenstersache und jetzt dieses Thema. Ihre Hochstimmung war verflogen.

»Du weißt nicht mal, wie er aussieht?«, fragte Trude neugierig.

»Nee, und es interessiert mich auch nicht!«, sagte Sprotte

gereizt. »Können wir jetzt mal das Thema wechseln?« Hastig stieg sie hinter Melanie die Leiter hoch. Gespenster, die es vielleicht gar nicht gab, waren ihr immer noch lieber als diese Fragerei.

»Kein Vater«, murmelte Trude hinter ihr. »Echt beneidenswert.«

Erstaunt sah Sprotte sich zu ihr um. Verlegen erwiderte Trude ihren Blick.

»He, das ist ja ein toller Boden!«, rief Melanie von oben. »Wo bleibt ihr denn?«

»Wir kommen!«, rief Sprotte und sie kletterten die letzten Leitersprossen hinauf.

»Na, ist das nicht toll?«, sagte Melanie. »Guckt euch bloß mal an, was hier alles rumsteht.«

»Toll!«, sagte Trude.

Sprotte sagte gar nichts. Unbehaglich sah sie sich um. Aber Gespenster oder Ähnliches waren nicht zu entdecken. »Ja, meine Oma hebt alles auf«, sagte sie schließlich. »Manchmal nervt das, aber es hat auch sein Gutes.«

»Also ich finde Dachböden schrecklich aufregend!« Melanie fing an mit leuchtenden Augen in Oma Slättbergs Kisten und Kästen herumzustöbern. Trude tat es ihr nach. Nur Sprotte stand da und fühlte sich unbehaglich. Verzweifelt versuchte sie, sich wieder so gut zu fühlen wie unten in der Küche. Aber es klappte einfach nicht. Das mit den Keksen war eine Sache, aber das hier war was anderes. Was war, wenn ihre Oma

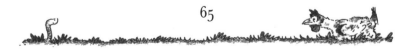

merkte, dass sie hier oben gewesen war? Sie wusste doch genau, dass Sprotte sich nie allein hier rauftrauen würde. Unruhig beobachtete sie, wie Melanie und Trude alles anfassten, öffneten, hochhoben . . .

»He, wir wollten doch das Schloss suchen, oder?«, sagte sie und schwenkte den schwarzen Schlüssel.

»Ja, ja.« Melanie starrte verzückt in eine riesige Truhe. »Oh, guckt mal hier, lauter alte Kleider. Mit Spitze und so.« Kichernd setzte sie sich einen kleinen Hut auf. »Na, wie seh ich aus?«

»Dahinten ist ein Spiegel«, brummte Sprotte. »Guck rein.«

»Was ist los?«, fragte Melanie. »Warum bist du denn plötzlich wieder zickig?«

»Kommt mal her!«, rief Trude aufgeregt. »Hier an dem Schrank ist ein Schloss, das sieht genau richtig aus!«

Sprotte und Melanie bahnten sich einen Weg zu ihr.

»Wie aufregend!«, flüsterte Melanie.

Sprotte steckte den schwarzen Schlüssel in das Schrankschloss. Hinein ging er, aber er ließ sich nicht drehen. »Passt nicht«, sagte Sprotte enttäuscht.

»Macht nichts«, sagte Melanie und sah sich suchend um. »Hier steht noch genug anderes herum. Guckt mal da in der Ecke. Die Kommode, auf der die alten Schuhe stehen.«

»Die hat sogar drei Schlösser«, stellte Trude fest und nieste. Der Staub, den sie mit ihrer Sucherei aufwirbelten, kitzelte scheußlich in der Nase.

Die drei Mädchen stiegen über altes Spielzeug und zusammengerollte Teppiche, bis sie vor der Kommode standen. Sie hatte drei riesige Schubladen, jede mit einem Schloss.

»Mach schon, Sprotte!« Melanie zappelte vor Aufregung.

Trude kaute angestrengt auf ihrem Daumennagel.

Sprotte steckte den schwarzen Schlüssel in das oberste Schloss und schüttelte den Kopf.

»Passt auch nicht, aber . . .«, Sprotte zog die Schublade auf, »die ist sowieso offen.«

Neugierig sahen die drei *Wilden Hühner* hinein.

Da lagen, säuberlich aufgefaltet, Strampelhöschen, Babyschuhe, Lätzchen und winzige Hemden.

»Oh, Sprotte!« Melanie kicherte. »Das sind bestimmt deine!«

»Wie niedlich!«, sagte Trude entzückt.

Sprotte wurde rot.

»Die nächste«, sagte sie, schob die Schublade rasch wieder zu und steckte den Schlüssel in das zweite Schloss. »Wieder Fehlanzeige.«

Aber auch die Schublade war unverschlossen. Und enthielt nichts als Sprottes Kindersachen. Nur schon etliche Nummern größer. Lauter selbst gestrickte Pullover und Socken, Schals und Handschuhe – und dazwischen Massen von Mottenkugeln.

»Meine Oma strickt mir auch dauernd Sachen«, sagte Trude. »Die kratzen immer ganz fürchterlich.«

»Kratzen tun die von meiner Oma nicht.« Seufzend schob Sprotte auch die zweite Schublade zu. »Nur immer zu klein. Oder mit ellenlangen Ärmeln. Wie 'ne Wurst seh ich da drin aus. Aber wehe, ich zieh das Zeug nicht an. Na, dann solltet ihr meine Oma mal hören. Von wegen undankbar und ›genau wie deine Mutter‹ und so. Manchmal nehm ich mir extra was anderes mit in die Schule und zieh mich aufm Klo um.«

»Vertragen deine Oma und deine Mutter sich nicht?«, fragte Melanie.

Sprotte zuckte die Achseln. »Streiten tun sie sich selten, aber nett sind sie auch nicht gerade zueinander.«

Ins dritte Schloss passte der schwarze Schlüssel auch nicht. Aber Sprotte hatte sowieso keine Lust, in die Schublade auch noch reinzugucken.

»Also, meine Omas sind sehr nett«, sagte Trude. »Vor allem die eine. Die gehört eigentlich in den Himmel, sagt mein Vater immer.«

»Meine Mutter und meine Oma«, Melanie zupfte sich ein paar Spinnweben aus den Haaren, »die streiten sich, dass man Angst kriegen kann. Und meine Oma wohnt bei uns. Ich kann euch sagen . . .«

Trude zog die dritte Schublade auf und sah hinein. »Guckt mal! Jede Menge Liebesromane. So was lesen meine Omas auch immer.«

Erstaunt guckte Sprotte auf die Stapel von dünnen Heftchen

mit so wunderbaren Titeln wie »Mein Herz schlägt nur für Doktor Stolle« oder »Liebe bis zum Untergang«.

»Ich wusste gar nicht, dass meine Oma so was liest«, murmelte Sprotte und blätterte in einem der Dinger herum. Plötzlich kicherte sie. »Damit könnte ich sie bestimmt prima ärgern.«

»Ja, aber dann weiß sie, daß du hier rumgeschnüffelt hast«, sagte Melanie.

»Stimmt«, sagte Sprotte – und fühlte sich mit einem Schlag wieder unbehaglich. Aber sie ließ es sich nicht anmerken, und die drei suchten noch eine ganze Weile weiter.

Sie fanden Kisten voll altem Porzellan, voller Bücher und geflickter Kleider. Sie fanden eine kaputte Nähmaschine, eine zugestaubte Schmetterlingssammlung, verschimmelte Briefmarkenalben und eine Schachtel mit einer Perücke drin. Aber ein Schloss, in das der schwarze Schlüssel passte, war nicht zu entdecken. Schließlich guckte Trude auf ihre Uhr.

»Oje, schon nach sechs! Ich muss nach Hause.«

»Nach sechs?«, rief Melanie erschrocken. »Ich sollte noch was einkaufen!«

»Na, dann suchen wir eben morgen weiter«, sagte Sprotte. »Ich glaub, hier oben finden wir sowieso nichts.« Sie wollte nicht weiter in Oma Slättbergs abgelegten Sachen rumstöbern, aber das sagte sie natürlich nicht.

Hastig kletterten sie die Leiter runter.

»Was sollst du denn kaufen?«, fragte Sprotte Melanie.

»Eier, Kartoffeln und so was, wieso?«

69

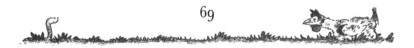

»Kein Problem!« Sprotte ließ die Bodenleiter wieder einrasten. »Hab ich alles hier.«

Erstaunt sah Melanie sie an. »Na klar, daran hab ich ja gar nicht gedacht.«

Sprotte lachte etwas verlegen. »Ich schließ nur schnell das Haus ab und dann holen wir die Sachen. Ich fahr heute Abend auch nach Hause. Meine Mutter macht früher Schluss.«

Als sie nach draußen kamen, war der Himmel bewölkt, aber die Luft war mild und schmeckte nach Sommer.

Melanie lief zu ihrem Rad und holte eine Einkaufstasche.

»Also, hier steht«, stirnrunzelnd sah sie auf ihren Einkaufszettel, »zehn Eier, ein Kilo Kartoffeln, Bohnen, Bohnenkraut.«

Sprotte zuckte die Achseln. »Kein Problem.« Sie nahm Melanie die Tasche aus der Hand und lief zu den Gemüsebeeten.

»Also erst mal die Bohnen«, sagte Sprotte. »Wusstet ihr, dass die giftig sind, wenn man sie roh isst?«

Melanie und Trude schüttelten die Köpfe.

Mit flinken Fingern pflückte Sprotte einen Berg von langen, schlanken Schoten, die an kleinen Büschen hingen. »Das hier sind die besten«, sagte sie. »Ganz zart und ohne Fäden.«

»Aha«, murmelte Melanie.

»Wie viel Bohnenkraut brauchst du?«

Melanie zuckte ratlos die Schultern.

Sprotte pflückte zwei dicke Büschel von einem dunkelgrü-

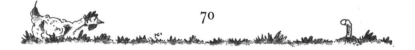

70

nen Kraut, das in einer säuberlichen Reihe zwischen den Bohnensträuchern wuchs. »Riecht mal!«, sagte sie stolz und hielt es den beiden andern unter die Nase. »Meine Oma sät immer das einjährige. Das ist viel würziger.«

Trude und Melanie sahen sich an.

»Woher weißt du denn das alles?«, fragte Trude.

»Och, das lernt man eben.« Sprotte rieb sich die Nase, stand auf und kniete sich neben ein anderes, breiteres Beet.

»Also, Kartoffeln kann ich dir nicht ganz so viele geben«, sagte sie und steckte die Hände in die Erde. »Mit ihren Kartoffeln ist meine Oma nämlich scheußlich knickerig. Aber dafür schmecken sie viel besser als die aus dem Supermarkt.«

»Ach, ist doch toll«, sagte Melanie. »Meine Tasche ist schon fast voll. Jetzt fehlen nur noch die Eier.«

»Kommen sofort.« Sprotte sprang auf und sie liefen zusammen zum Hühnerstall. Die Hennen schliefen natürlich schon wieder. Einen halb gefüllten Eierkarton hatte Sprotte noch im Vorraum stehen, den Rest holten sie aus den Nestern.

»Mensch, meine Mutter wird vielleicht staunen«, sagte Melanie, als sie zu ihren Rädern liefen.

Trude kicherte plötzlich. »Wie's wohl den *Pygmäen* geht?«

Sprotte warf einen prüfenden Blick zum Himmel. »Och, solange es nicht regnet . . .«

»Meint ihr wirklich, die sind immer noch da oben?« Trudes Stimme klang etwas besorgt.

»Ach was, die hat bestimmt längst irgendein Spaziergänger

befreit«, sagte Sprotte. »Und wenn nicht, dann merken wir's spätestens morgen in der Schule. Ach übrigens«, Sprotte grinste, »ihr könnt mir morgen beim Stallausmisten helfen.«

»O ja, gerne!«, sagte Trude.

»Beim Stallausmisten? Igitt!« Melanie verzog das Gesicht. »Was zieht man denn dafür an?«

»Na, dein allerschickstes Kleid am besten«, sagte Sprotte. Einen Augenblick lang sahen sie und Melanie sich an. Dann grinsten beide.

»Bis morgen!«, sagte Sprotte und schwang sich auf ihr Fahrrad.

»Bis morgen!«, rief Trude ihr nach. »Und hoffentlich kann Frieda dann auch.«

»Ja, hoffentlich!«, rief Sprotte zurück. Trude hatte es schon wieder geschafft, ihr die Stimmung zu verderben.

Als Sprotte nach Hause kam, war Besuch für sie da.

»Deine beste Freundin wartet auf dich«, sagte ihre Mutter.

»Frieda?«, fragte Sprotte erstaunt.

»Natürlich Frieda.« Überrascht sah ihre Mutter sie an. »Oder hast du plötzlich eine andere beste Freundin?«

Sprotte schüttelte den Kopf und rieb sich energisch die Nasenspitze.

»Habt ihr euch gestritten?«

»Nicht direkt.«

»Aha. Ich frage wohl besser nicht weiter, was?« Ihre Mutter schüttelte den Kopf. »Soll ich euch ein paar Brote machen?«

»Ja, gerne.« Zögernd ging Sprotte auf ihre Zimmertür zu. Eigentlich wollte sie wütend sein auf Frieda. Aber sie war erleichtert. Erleichtert, dass Frieda gekommen war. Wenn sie beleidigt war, ließ sie sich nämlich tagelang nicht blicken. Sogar in der Schule sprach sie dann kein Wort mit Sprotte – obwohl sie nebeneinander saßen. Da konnte sie wirklich stur sein.

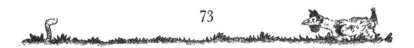

Aber wieso sollte Frieda beleidigt sein? Sprotte legte die Hand auf die Klinke. Wenn jemand Grund hat, beleidigt zu sein, dann ja wohl ich, dachte sie. In ihrem Kopf und ihrem Herzen herrschte ein ziemliches Chaos.

Frieda saß auf Sprottes Bett und hatte rote Augen. Richtig verloren sah sie aus. Verlegen lächelte sie Sprotte an.

»Hallo«, sagte sie. »Wie war's? Hat es mit unserem Plan geklappt?«

Sprotte nickte. »Du hast echt was verpasst.« Sie setzte sich auf ihren Schreibtischstuhl und guckte Löcher in den Teppich. »Melanie und Trude waren spitze.«

»Ach ja?«, sagte Frieda leise. Dann schwiegen sie sich ein paar schrecklich lange Augenblicke an. Frieda knabberte an ihren Fingernägeln herum und Sprotte rieb sich die Nase. Zum Glück kam ihre Mutter herein und brachte die Brote.

»Was wollt ihr trinken?«, fragte sie. »Heißen Kakao?«

»Ja, gerne!«, sagte Frieda und brachte ein schiefes Lächeln zustande.

Sprotte nickte nur.

Ihre Mutter ging wieder hinaus und ließ die beiden mit ihrem Schweigen allein.

Sprotte nahm sich ein Wurstbrot – und legte es wieder auf den Teller zurück.

»Was hast du den andern gesagt?«, fragte Frieda.

»Dass du babysitten musst, was sonst?«

74

Frieda bohrte sich nervös im Ohr herum. Um ihren Hals baumelte an einem Lederband die Hühnerfeder.

»Danke, dass du versucht hast mir zu helfen«, sagte sie plötzlich leise. Ohne Sprotte anzusehen.

»Und warum hast du nichts gesagt?«, platzte es aus Sprotte heraus. »Mann, ich kam mir vielleicht blöd vor. Alle haben getan, als ob sie gar nicht wissen, wovon ich rede. Hast du gesehen, wie dein doofer Bruder mich angegrinst hat? Und du sitzt da und tust, als ob dich das alles nichts angeht. Dabei hatte ich Recht. Und wie ich Recht hatte!«

Frieda guckte auf ihre Hände. »Ich kann das nicht«, sagte sie. So leise, dass Sprotte es fast nicht gehört hätte.

»Wie, das kannst du nicht?« Ärgerlich schüttelte Sprotte den Kopf.

»Wenn Mama mich um was bittet, dann kann ich nicht nein sagen. Und wenn mein Vater dann auch noch was sagt, dann . . .« Frieda zuckte die Achseln.

»Hm.« Sprotte nahm sich noch mal ein Brot. »Dein Bruder«, sagte sie mit vollem Mund, »der kann das perfekt.«

»Allerdings«, murmelte Frieda, biss in ein Käsebrot und schniefte.

»Weinst du?«, fragte Sprotte erschrocken.

»Nee, schon gut!«, sagte Frieda und putzte sich die Nase. Sie waren beide froh, als die Tür wieder aufging und Sprottes Mutter reinkam. »Hier ist euer Kakao«, sagte sie und stellte ihnen die dampfende Kanne und zwei Becher auf den Tisch.

»Ich hoffe, ich habe nicht wieder zu wenig Zucker reingetan. Braucht ihr sonst noch etwas?«

Sprotte schüttelte den Kopf.

»Ich muss sowieso bald nach Hause«, sagte Frieda.

Als sie wieder allein waren, sagte sie: »Du wehrst dich auch nicht immer.«

»Wie meinst du das?« Sprotte runzelte die Stirn – und wusste genau, was Frieda meinte.

»Na, deine Oma. Traust du dich bei der, was zu sagen?«

»Das ist ganz was anderes«, sagte Sprotte ärgerlich. »Bei meiner Oma traut sich keiner, was zu sagen. Nicht mal Mama. Und wenn sie's mal macht, dann spricht meine Oma zwei Wochen kein Wort mit uns und ich darf nicht zu ihr kommen, bis Mama sich bei ihr entschuldigt. Sind deine Eltern so?«

»Nein, aber . . .«

»Nee, sie sind kein bisschen so. Und darüber kannst du verdammt froh sein.« Sprotte schwieg. Ihr Herz klopfte heftig und ihre Lippen zitterten. Schnell nahm sie sich ein Brot und biss hinein.

Verstört sah Frieda sie an. »Wusste ich doch nicht, dass es so schlimm ist. Du hast ja nie was erzählt.«

»So schlimm ist es aber«, sagte Sprotte. »Und ich will nicht mehr drüber reden. Lässt sich sowieso nicht ändern.«

»Du könntest vielleicht öfter mal zu uns kommen, wenn deine Mutter arbeitet«, sagte Frieda.

»Nein danke, da streite ich mich bloß gleich wieder mit deinem Bruder«, sagte Sprotte und musste grinsen. Sie wischte sich ein paar Krümel von der Hose. »Wir haben übrigens den ganzen Dachboden nach dem Schloss für den schwarzen Schlüssel abgesucht. Wir konnten ja sicher sein, dass die *Pygmäen* uns nicht stören.«

»Und?«

»Nichts. Und in den Zimmern hab ich auch schon jedes Schloss ausprobiert. So langsam wird's rätselhaft. Weißt du, was ich glaube?«

»Was?« Frieda schlürfte ihren Kakao. Herrlich warm wurde es einem davon.

»Ich glaube, Oma Slättberg wollte mich reinlegen!«, raunte Sprotte. »Sähe ihr ähnlich.«

»Na, dann hat es ja auch keinen Sinn mehr zu suchen«, stellte Frieda fest.

»Och, doch!« Sprotte runzelte die Stirn. »Suchen sollten wir schon noch. Wär doch toll, wenn wir wirklich einen Schatz finden. Diese blöden *Pygmäen* würden vor Neid platzen.«

»Treffen wir uns dann morgen?«, fragte Frieda – und fügte verlegen hinzu: »Diese Woche brauch ich auf Luki nicht mehr aufpassen. Mama sagt, Titus ist jetzt dran.«

»Mensch, das erzählst du erst jetzt?«, fragte Sprotte. »Dann hat sich der ganze Ärger ja doch gelohnt.« Sie war plötzlich richtig stolz auf sich. »Morgen wollen wir zusammen den Hühnerstall sauber machen. Kommst du?«

Frieda nickte und stand auf. »Meinst du, die Jungs hocken immer noch in ihrem Baumhaus?«

»Nee, bestimmt nicht«, sagte Sprotte. Und sie hatte Recht. Die *Pygmäen* waren seit einer halben Stunde zu Hause. Und kochten vor Wut.

Mit der Rache ist das so eine Sache. Sie nimmt einfach kein Ende.

Als Sprotte am nächsten Morgen auf den Schulhof fuhr, sprangen die *Pygmäen* aus dem Gebüsch und stürzten sich auf sie. Torte und Steve zerrten sie vom Fahrrad und Willi nahm sie erst mal in den Schwitzkasten.

»He, seid ihr verrückt geworden?«, rief Sprotte, als sie den ersten Schreck verdaut hatte. »Wir kommen alle zu spät!«

»Och, bei uns werden das bloß ein paar Minuten sein«, sagte Fred grinsend. »Aber ihr habt heute schulfrei.«

Sie schleppten die kreischende, strampelnde Sprotte hinters Schulgebäude. Es gongte gerade zur Stunde und der Schulhof war menschenleer.

Sprotte merkte schon bald, dass es zu dem kleinen Schuppen ging, in dem Mausmann, der Hausmeister, seine Schneeschaufeln, Harken und Besen unterstellte.

»Schließ auf!«, sagte Fred, immer noch mit diesem zufriedenen Grinsen im Gesicht. Und Steve zog zu Sprottes maßlosem Erstaunen einen Schlüssel aus der Tasche.

»Wo habt ihr denn den her?«, fragte sie. »Habt ihr Mausmann den etwa geklaut?«

»Quatsch, bloß geliehen!«, sagte Steve empört. »Das ist sein
Ersatzschlüssel.«

»Ach, für so was übst du deine Zauberkunststücke!«, sagte
Sprotte verächtlich. Aber da gab Willi, der Würger, ihr auch
schon einen Schubs und sie stolperte in den dunklen Schuppen.

»O nein!«, sagte Melanie in der fensterlosen Finsternis.

»Wir haben gehofft, dass wenigstens du ihnen entwischst. So
eine Blamage.«

»Keiner hat uns geholfen, als sie uns gepackt haben!«, sagte
Trude beleidigt.

»Na, jammern hilft jetzt auch nichts.« Sprotte machte einen
Schritt vor, trat auf eine Harke und knallte sich den Stiel
gegen den Kopf. »Au verdammt.«

»Was ist?«, fragte Frieda besorgt.

»Ach, nichts. Hat jemand 'ne Taschenlampe dabei?«

»Nee«, sagte Melanie.

»Wir sind vielleicht 'ne Bande«, stöhnte Sprotte und betas-
tete ihre Beule. Ein richtiges Horn wurde das.

»Aber die können uns doch nicht hier eingesperrt lassen!«,
jammerte Trude. »Das klingelt doch bald zur Stunde.«

»Hat es längst«, sagte Melanie. »Und nicht die werden den
Ärger kriegen, sondern wir. Oder glaubst du, Frau Rose
glaubt uns die Geschichte?«

»Aber das muss sie!«, zeterte Trude. »Ich bin in der letzten Woche schon zweimal zu spät gekommen. Wenn mein Vater das erfährt . . .«

»Reg dich ab«, sagte Sprotte. »Wenn uns hier einer findet, kann er ja wohl bezeugen, dass wir eingesperrt waren, oder?«

»Wenn uns jemand findet«, sagte Frieda düster, »bevor wir als Klapperskelette an der Wand lehnen.«

Trude stöhnte entsetzt auf.

»Vielleicht kommt Mausmann ja bald«, sagte Sprotte.

»Vielleicht aber auch nicht«, meinte Melanie. »Wie wär's, wenn wir Krach schlagen?«

»Kraftverschwendung«, sagte Sprotte. »Als sie mich hierher geschleppt haben, war draußen weit und breit kein Mensch zu sehen.«

»Frau Rose findet Zuspätkommen gar nicht lustig«, seufzte Frieda. »Und ich steh sowieso schon so schlecht bei ihr. Das ist echt gemein von den Jungs.«

Die andern schwiegen.

»Wenn wir hier rauskommen . . .«, knurrte Sprotte. »Die werden sich wünschen nicht geboren zu sein.«

»Wie lange dauert es eigentlich, bis man verhungert?«, fragte Trude.

»Zuerst verdurstet man!«, sagte Frieda.

»Oder erstickt«, brummte Sprotte. »Das ist vielleicht eine Luft hier drinnen.«

»Wisst ihr was«, sagte Melanie. »Dieses ganze Geräche geht

mir langsam gründlich auf die Nerven. Soll das jetzt ewig so weitergehen? Als Nächstes denken wir uns wieder 'ne Rache aus, dann die, dann wieder wir und so weiter und so weiter. Das ist doch zum Totlangweilen!«

»Die haben angefangen!«, sagte Sprotte.

Da hörten sie draußen Schritte und Pfeifen: »Wir lagen vor Madagaskar«. Das pfiff Mausmann, der Hausmeister, immer vor sich hin.

Sofort trommelten alle *Wilden Hühner* gegen die Wände.

»Aufmachen!«, brüllten sie um die Wette. »Aufmachen, Herr Mausmann!«

Die Tür ging auf und sie blinzelten ins Licht. Vor ihnen stand Herr Mausmann.

»Wie kommt ihr denn da rein?«, fragte er verdutzt.

»Das waren . . .«, fing Trude an.

»Das war ein riesiger Kerl«, unterbrach Sprotte sie hastig. »Der hat uns einfach gepackt und hier reingesteckt.«

»Wie? Alle auf einmal?«, fragte Herr Mausmann ungläubig. »Der muss aber verdammt groß gewesen sein.«

»Nein, eine nach der andern natürlich«, sagte Sprotte.

»War wohl ein Mitschnacker«, fügte Melanie hinzu. »Von so was hat man ja schon gehört.«

»Hm, so. Und wie kommt der an einen Schlüssel?«, fragte Mausmann.

»Woher sollen wir das denn wissen?«, fragte Sprotte ärgerlich.

»So was haben richtige Gangster doch immer dabei«, sagte Frieda.

»Richtige Gangster?« Der arme Herr Mausmann guckte noch verdutzter.

»Wir müssen jetzt zum Unterricht«, sagte Sprotte schnell und drängte sich an ihm vorbei.

»Ja, und danke schön fürs Befreien«, sagte Frieda, bevor sie hinter Sprotte herstürmte.

»Warum durfte ich denn nicht sagen, wer's wirklich war?«, fragte Trude, als sie zusammen über den Schulhof rannten.

»Weil man so was nicht macht«, antwortete Sprotte ungeduldig.

»Versteh ich nicht!«, japste Trude.

»Melanie, erklär du's ihr!«, sagte Sprotte ärgerlich. Und rannte nicht auf den Schuleingang zu, sondern zu den Fahrrädern.

»Was hast du denn jetzt vor?«, rief Melanie ihr hinterher. »Frau Rose wird schon sauer genug sein!«

Sprotte antwortete nicht, sondern lief suchend an den Fahrradständern entlang. »Ah, da!«, rief sie schließlich. »Da sind sie ja. Alle schön nebeneinander. Praktisch.«

Hastig drehte sie bei allen vier Rädern die Ventile auf. Und weil sie sich bei einem nicht ganz sicher war, ob es nun wirklich den *Pygmäen* gehörte, ließ sie vorsichtshalber bei dem daneben auch noch die Luft raus.

»Ach, Sprotte, lass das doch«, sagte Frieda.

»Mir wird das alles langsam zu blöd«, sagte Melanie. »Ich geh jetzt rein. Komm, Trude.«

Die beiden liefen auf die Treppe zu.

Frieda blieb zögernd neben Sprotte stehen. »Findest du nicht, es reicht?«, fragte sie.

»Bin schon fertig!«, sagte Sprotte und kicherte. »Na, die werden sich wundern.«

Frieda schüttelte den Kopf.

»Ach, mach doch nicht so 'n miesepetriges Gesicht. Komm!« Sprotte nahm sie am Arm und zerrte sie hinter sich her. »He, wartet!«, rief sie Melanie und Trude nach. Auf der Treppe holten sie sie ein.

Frau Rose hörte sich die Mitschnackergeschichte mit gerunzelter Stirn und gespitzten Lippen an. Während Fred, Steve, Torte und Willi wie angenagelt dasaßen und in ihre Bücher starrten.

»Na hört mal. Für wie dumm haltet ihr mich eigentlich?«, fragte sie, als Sprotte den Mund zuklappte. »Erst kommen die vier Helden, die da gerade so interessiert in ihren Büchern lesen, zu spät – und jetzt kommt ihr vier mit dieser verrückten Geschichte.«

»Die stimmt aber«, sagte Sprotte kleinlaut.

»Ja, und ich glaube an den Weihnachtsmann. Setzt euch.« Die *Wilden Hühner* schlichen auf ihre Plätze. Frau Rose nahm ihr kleines Buch und machte Kreuze.

84

»Hinter meinem Namen muss es schon wie aufm Friedhof aussehen!«, zischte Sprotte Frieda ins Ohr.

»Wisst ihr, was ich denke?«, fragte Frau Rose, während sie das Büchlein zurück in ihre quietschrote Tasche steckte. »Dass hier ein kleiner Bandenkrieg im Gange ist. Und da ich Banden für so ziemlich das Dümmste auf der Welt halte, rate ich euch, nicht noch mal wegen diesem Blödsinn zu spät zu kommen. Ist das klar?«

Die *Wilden Hühner* nickten.

»Und ihr da? Habt ihr das auch begriffen?«

Die *Pygmäen* ließen ein Gemurmel hören.

»Gut. Dann wollen wir eure Gehirne mal ein bisschen ans Arbeiten kriegen. Fred, komm bitte an die Tafel.«

Trude war am Nachmittag als Erste bei Oma Slättbergs Haus. Von den andern war weit und breit nichts zu sehen. Sie öffnete gerade das Gartentor, als es hinter ihr raschelte. Erschrocken fuhr sie herum – aber es war weit und breit nichts Beunruhigendes zu entdecken. Ein dicker Dackel trottete schläfrig über die Straße und nebenan sonnte sich eine Katze auf den Mülleimern.

Das kommt bloß von diesem blöden Mitschnackergerede, dachte Trude ärgerlich, stellte ihr Fahrrad ab und lief zum Hühnerauslauf. Die Hennen ruckten neugierig mit den Köpfen, als sie sie kommen sahen, und gackerten so kläglich, als hätten sie seit Tagen nichts zu fressen gekriegt.

Trude öffnete die Stalltür, um etwas Futter zu holen, als sie wieder was hörte. Was genau, konnte sie nicht sagen. Aber es hörte sich irgendwie verdächtig an. Und kam aus der Richtung der Johannisbeersträucher.

»Ist da jemand?«, fragte sie unsicher.

»Na klar!«, rief Sprotte hinter ihr und stieß das Gartentor auf. »Was guckst du denn so komisch?« Frieda war auch da.

»Ach, nichts!«, sagte Trude erleichtert. Eine große Amsel kam pickend und scharrend unter den Beerensträuchern hervor. »Ich seh schon Gespenster.«

»Passiert mir oft«, sagte Sprotte. »Vor allem, wenn ich allein bin. Dann denk ich manchmal, mein Großvater spukt hier rum.«

In dem Moment kam auch Melanie.

»He, ich fass es nicht!«, sagte Sprotte. »Melanie in Jeans!«

Melanie streckte ihr die Zunge raus und lehnte ihr Fahrrad gegen die Hecke. »Wir sind bestimmt die einzige Bande, die zusammen Hühnerställe ausmistet«, sagte sie seufzend.

»Ach, ich glaube, das wird Spaß machen«, sagte Trude.

»Ich würde viel lieber das Rätsel des schwarzen Schlüssels lösen«, sagte Frieda. »Schließlich hab ich die letzte Schatzsuche verpasst.«

»Erst die Arbeit, dann das Vergnügen«, antwortete Sprotte. »Kommt.«

»Wie lange stinkt man eigentlich nach so was?«, fragte Melanie, während sie lustlos hinterhertrottete.

»Eine Woche? Einen Monat?« Sprotte kicherte.

»Wenn's nachher immer noch so heiß ist«, sagte Frieda, »können wir uns ja mit dem Gartenschlauch abspritzen.«

»O ja«, rief Trude.

Zwei Hennen hatten sich vor der Sommerhitze in den kühlen Stall geflüchtet. Aber als die vier Mädchen mit Mistforke, Eimern und kleinen Schaufeln anrückten, verzogen sie sich mit lautem Protestgegacker nach draußen.

»Erst muss das ganze Stroh raus!«, sagte Sprotte. »Das schmeißt ihr einfach durchs Fenster auf den Misthaufen. Dann kratzen wir die Scheiße unter den Stangen weg und streuen neues Stroh drunter. Ja, und am wichtigsten sind die Nester. Die müssen ganz gründlich sauber gemacht werden und die Kalkeier, die drinliegen, auch.«

»Wozu liegen denn da Kalkeier drin?«, fragte Frieda.

»Oma sagt, Hühner legen viel lieber zu einem Ei noch 'n zweites dazu als in ein leeres Nest«, sagte Sprotte, »und außerdem denken sie so vielleicht, dass man ihnen nicht alle Eier klaut. Was meint ihr, wie oft ich schon diese blöden Kalkeier ins Haus geschleppt habe, weil ich dachte, es sind echte.«

»Die Nester möchte ich machen«, sagte Trude. »Darf ich?«

»Hier ist ja überall Scheiße!«, stöhnte Melanie. »Das soll alles von den paar Hühnern sein?«

Sprotte kicherte. »Tja, 'n Hühnerklo ist noch nicht erfunden worden. Und wie meine Oma immer sagt, Hühnerscheiße ist Gold wert.«

»Wieso das denn?« Melanie verzog angeekelt das Gesicht, während sie mit der kleinen Schaufel die Stangen abkratzte.

»Na, was meinst du, warum das Gemüse hier so gut wächst? Weil Hühnerscheiße der beste Dünger ist. Allerdings muss

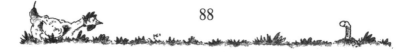

man sie 'n bisschen verdünnen oder mit Stroh und Erde mischen, sonst ist sie zu hitzig.«

»Sonst ist sie was?«, fragte Trude.

»Hitzig. Zu stark«, sagte Sprotte. »Dann schießt das Gemüse und schmeckt nicht mehr. Mann, ich hoffe, das frische Stroh reicht noch.«

»Was du alles weißt!«, murmelte Frieda und beförderte das alte Stroh aus dem Fenster.

»Was soll ich mit den Eiern machen?«, fragte Trude.

»Leg sie in den Vorraum«, sagte Sprotte.

»He, hier sind auch noch welche!«, rief Frieda. »Ganz hinten unter den Stangen.«

»Ach, wieder ein verstecktes Nest«, sagte Sprotte. »Das machen sie oft. Vielleicht finden wir sogar irgendwo noch eins.«

»Ist ja auch gemein, dass man ihnen ihre Eier dauernd wegnimmt«, sagte Melanie, die jetzt verbissen unter den Stangen herumkratzte.

»Würden das eigentlich alles Küken werden?«, fragte Trude und betrachtete unbehaglich das Ei in ihrer Hand.

»Quatsch!« Sprotte kicherte. »Wie soll denn das gehen ohne Hahn?«

»Ach so, ach ja!«, stotterte Trude und wurde rot.

»Na, tröste dich«, sagte Sprotte. »Die Hennen denken auch, dass da Küken drinstecken. Ab und zu setzen sie sich allen Ernstes drauf und versuchen sie auszubrüten.«

Nach einer Stunde war der Hühnerstall so sauber, dass selbst Oma Slättberg nichts zu meckern gehabt hätte. Das frische Stroh duftete und die vier Mädchen waren rundum zufrieden mit sich und der Welt.

»Jetzt stellen wir uns unter den Schlauch«, sagte Sprotte. »Dahinten bei der Regentonne. Da kann uns keiner sehen.«

»Bah, meine Sachen sind klitschnass geschwitzt«, sagte Frieda. »Hast du irgendwas hier, was ich nachher anziehen kann?«

»Ich hab mir was mitgebracht«, sagte Melanie, lief zu ihrem Fahrrad und holte eine große Plastiktüte.

»Ich halt's nicht aus!«, sagte Sprotte und verdrehte die Augen. Aber dann holte sie aus dem Haus doch frische T-Shirts für sich, Frieda und Trude. Oma Slättbergs Regentonne stand hinterm Haus, auf einem kleinen Plattenhof, umgeben von hohen Fliederbüschen. Die Mädchen hängten ihre verschwitzten Sachen in die Büsche und legten die frischen in sicherer Entfernung auf einen Stuhl. Dann drehte Sprotte das eiskalte Wasser auf.

Kreischend und kichernd hopsten sie in dem kalten Wasserstrahl herum, spritzten sich gegenseitig nass und tanzten auf den glitschigen Platten, bis ihre Lippen blau waren.

Aber gerade als Sprotte schlotternd zum Wasserhahn lief, um ihn abzudrehen, geschah es.

Ein paar Arme schoben sich durch die Fliederbüsche, rissen ihre Kleider von den Zweigen und packten die frischen Sachen auf dem Stuhl samt Melanies Plastiktüte. Das Ganze ging so schnell, dass die Mädchen nur wie erstarrt dastanden.

»Na?«, kiekste es zwischen den Büschen und drei Jungensköpfe grinsten sie schamlos an.

»Hui, hui!«, flötete Torte. »Das gehört sich aber nicht! Wenn das die Nachbarn sehen!«

»Verschwindet!«, brüllte Sprotte, während Frieda sich hinter der Regentonne versteckte und Melanie und Trude sich hinter Sprottes Rücken verbargen.

»Klar, wir gehen ja schon!«, sagte Torte. »Und eure Sachen nehmen wir mit. Die kriegt ihr morgen zurück. Aber kommt besser nicht so in die Schule!«

Steve kicherte hysterisch und Willi wurde dunkelrot und guckte auf seine Füße. Dann schlugen die Zweige wieder zusammen – und die Jungs samt allen Kleidern waren verschwunden.

»Ihr Spanner!«, rief Melanie ihnen hinterher. Schlotternd stürzten sie zu den Büschen, lugten hindurch und sahen die drei Räuber mit ihren Klamotten unterm Arm über Oma Slättbergs Gemüsebeete davonhüpfen.

»Haaaalt!«, schrie Sprotte. »Ihr gemeinen Kerle!«

Aber die Jungs winkten ihnen nur kichernd zu, warfen Kusshändchen und verschwanden durchs Gartentor.

Die *Wilden Hühner* standen bibbernd da und sahen sich an. Frieda kam hinter der Regentonne hervor.

»Dann hab ich mich doch nicht verhört«, sagte Trude. »Die ganze Zeit warn sie schon da. Garantiert.«

»Wo waren sie? Was redest du denn da?«, fragte Sprotte.

»In den Johannisbeerbüschen«, sagte Trude. »Da hat's immer so komisch geraschelt.«

»Und das hast du uns nicht gesagt?«, brüllte Sprotte los.

»Ich dachte doch, ich . . .« Schluchzend presste Trude sich die tropfenden Finger vors Gesicht.

»Lass sie in Ruhe!«, fauchte Melanie Sprotte an. »Das hast du nun von deinem blöden Bandenquatsch.«

»Okay, okay. Ich hab's nicht so gemeint«, murmelte Sprotte.

»Kommt, wir gehn ins Haus und suchen uns was anzuziehen«, sagte Frieda. »Oder wollt ihr euch 'ne Lungenentzündung holen?«

Eng aneinander gepreßt und splitternackt wie gerupfte Hühner flitzten sie ums Haus herum. Natürlich lugte gerade da mal wieder Herrn Feistkorns krebsroter Kopf über die Hecke.

»Gucken Sie nicht so blöd!«, rief Sprotte, bevor sie als Letzte in der Haustür verschwand. Und dachte mit großem Unbehagen daran, dass Oma Slättberg bei ihrer Rückkehr von ihrem lieben Nachbarn einiges zu hören kriegen würde.

Zum Glück hatte Melanie die Idee mit den Kleidern vom Dachboden. Es machte einen Heidenspaß, die komischen Dinger anzuziehen, die ihnen allen bis auf die Füße hingen und sie wie geschrumpfte Erwachsene aussehen ließen.

Als sie so verwandelt um den Küchentisch saßen, Brombeertee schlürften und verbotene Kekse knabberten, fanden sie die letzte Rache der *Pygmäen* fast schon komisch. Bis Sprotte sich plötzlich kerzengerade aufsetzte und ihren Becher mit einem Knall auf dem Tisch abstellte.

»Was ist los?«, fragte Frieda erschrocken.

»Der Schlüssel!«, sagte Sprotte. »Mensch, sie haben den Schlüssel.«

»Bist du sicher?«, hauchte Trude.

»Natürlich. Er war in meiner Hosentasche!«

Entsetzt sahen sie sich an.

»Wann hast du's in den Sträuchern rascheln hören, Trude?«

»Schon bevor ihr kamt.«

Sprotte stöhnte.

»Und ich hab was von einem Schatz gefaselt«, sagte Frieda entsetzt.

»Ja, allerdings«, sagte Melanie. »Und den schwarzen Schlüssel hast du auch erwähnt. Wenn sie es nicht schon beim letzten Spionieren gehört haben, dann wissen sie es jetzt.«

»Aber das ist ja schrecklich!«, rief Trude. »Was sollen wir denn jetzt bloß machen?«

»Viel wichtiger ist, was die jetzt vorhaben. Und das müssen wir rauskriegen. Aber schleunigst.« Sprotte hielt es nicht länger auf ihrem Stuhl. Mit grimmiger Miene sprang sie auf – und guckte bestürzt an sich runter. »Mist, die verrückten Klamotten hatte ich schon total vergessen. Na, macht nichts. Kommt!«

»Ja, aber wohin denn?«, rief Trude ihr entgeistert hinterher.

»Zum Baumhaus natürlich«, sagte Melanie, hob geschickt ihr langes Kleid an und rannte hinter Sprotte her.

Frieda war nicht ganz so geschickt und fiel erst mal der Länge nach hin, als sie auf ihren Saum trat. Mühsam rappelte sie sich hoch und stürmte den anderen nach. Als Letzte stolperte Trude hinterher, das Kleid bis über die nackten Knie gerafft.

»Mit den Fummeln kann man doch nie und nimmer Fahrrad fahren!«, rief Frieda.

»Fahrradfahren erledigt sich sowieso!«, knurrte Sprotte. Puterrot vor Wut stand sie neben den platten Rädern. »Aber die werden sich noch wundern.« Mit ellenlangen Schritten rannte Sprotte zum Haus zurück. Melanie, Trude und Frieda guckten ihr verdutzt hinterher.

94

»Was hat sie denn jetzt schon wieder vor?«, fragte Melanie.
Trude und Frieda zuckten nur die Schultern und trotteten
zum Haus zurück.

Sprotte stand am Telefon. »Ja, okay. Bis dann.« Mit bösem
Lächeln legte sie den Hörer auf. »Meine Mutter holt uns in
zehn Minuten mit dem Taxi ab und fährt uns zum Schrottplatz.«

»Willst du etwa mit den Klamotten«, Frieda zupfte an den
Rüschen und Spitzen, die ihr um die Beine baumelten, »durch
den Wald schleichen?«

»Weißt du was Besseres?«, fragte Sprotte ärgerlich. »Meinst
du, ich warte seelenruhig ab, dass die hier irgendwann mit
dem Schlüssel ankommen und Omas Schatz klauen?«

Trude machte gerade den Mund auf, um was zu sagen, als
das Telefon klingelte.

Sprotte nahm den Hörer ab – und wurde blass wie Streich-
käse.

»Oh, hallo, Oma. . . . Nee, ich dachte nur, es ist vielleicht
Mama. . . . Ja, sonst ist alles in Ordnung.«

Melanie verkniff sich ein Kichern. Frieda schnitt Grimassen.
Sprotte sah immer noch reichlich blass aus.

»Gerade heute haben wir – äh, habe ich ihn sauber gemacht,
ja. . . . Das Unkraut? Och, na ja, das wächst.« Frieda rollte
mit den Augen. »Natürlich. Ja, klar.«

Draußen hupte ein Auto. Melanie lief zum Fenster und guckte
hinaus.

»Deine Mutter!«, flüsterte sie.

»Du, Oma, ich muss Schluss machen. Mama holt uns gerade ab. . . . . Was? Hab ich ›uns‹ gesagt? Nee, da hab ich mich versprochen. Natürlich bin ich alleine hier. . . . Ja, weiß ich doch. Keine Fremden. . . . Nee. . . . Ja, ja. Also tschüs, Oma. . . . Ja, tschüs!«

Mit einem tiefen Seufzer hängte Sprotte den Hörer auf. Überrascht stellte sie fest, dass ihr Herz nicht halb so heftig klopfte wie sonst nach den Anrufen ihrer Oma. Obwohl sie sie angelogen hatte.

»Wisst ihr was«, sagte Sprotte zu den drei andern *Wilden Hühnern*, »am besten stellt ihr euch immer neben mich, wenn meine Oma anruft. Das macht's irgendwie halb so schlimm.«

Sie gingen nach draußen und Sprotte schloß die Tür ab.

»Hab ich ›uns‹ gesagt?«, wiederholte Melanie mit verstellter Stimme. »Nee, da muss ich mich versprochen haben.«

Kichernd liefen sie aufs Gartentor zu.

»Hat sie dir etwa verboten, jemanden mit hierher zu bringen?«, fragte Frieda.

»Bei Todesstrafe verboten«, sagte Sprotte. »Von andern Leuten denkt Oma nämlich grundsätzlich nur das Schlechteste. Trau keinem, ist ihr Lieblingsspruch.«

»Auch deinen Freunden nicht?«, fragte Melanie. Sprottes Mutter winkte ihnen schon zu.

Sprotte winkte zurück und öffnete das Gartentor. »So was wie Freunde gibt's für meine Oma nicht. Die denkt, alle

Leute wollen sie betrügen oder ausrauben oder ihr die Handtasche klauen.«

»Oje«, murmelte Frieda.

»Na?«, rief Sprottes Mutter ihnen entgegen. »Darf eure Fahrerin denn erfahren, was ihr vorhabt und wozu die seltsame Bekleidung gut ist?«

»Tut mir Leid, Mama«, sagte Sprotte. Sie ließ sich auf den Vordersitz fallen. »Aber was wir vorhaben, ist obergeheim.«

»Ich seh nur drei Paar Füße!«, flüsterte Frieda.

Sie hatten sich schon ziemlich nah an das Baumhaus der *Pygmäen* herangeschlichen und die dreckigen Füße der Besitzer baumelten deutlich sichtbar über ihren Köpfen. Die Jungs hatten Schnüre an ein paar krumme Äste gebunden und ließen sie in das grüne Wasser des Tümpels baumeln. Sollte wohl so was wie Angeln sein.

»Vielleicht haben sie ja eine Wache aufgestellt«, flüsterte Trude und sah sich besorgt um.

»Wartet hier, ich mach mal schnell einen kleinen Erkundungsgang«, zischte Melanie. Und geschmeidig wie eine Katze, trotz des langen Kleides, verschwand sie im Unterholz. Vom Baumhaus flog eine leere Coladose herunter und klatschte ins Wasser.

»He, Torte, lass das!«, schimpfte Fred. »Soll das hier bald aussehn wie auf dem Schrottplatz oder was?«

»Okay, okay!«, sagte Torte.

»Außerdem ist jetzt Schluss mit dem Gefeier. Jetzt wird ein Plan gemacht«, sagte Fred.

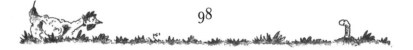

»Au ja!«, dröhnte Willis Stimme. »Hast du schon eine Idee, Boss?«

»Boss!« Frieda kicherte.

»Na, da kommen wir ja gerade zur richtigen Zeit«, murmelte Sprotte.

Hinter ihnen raschelte es und Melanie hockte sich neben sie ins Gras. »Vielleicht zwanzig Schritte von hier hockt Steve im Gebüsch«, flüsterte sie. »Aber er ist völlig versunken in irgendeinen Kartentrick.«

»He, Steve!«, brüllte Fred in dem Moment von oben herunter.

»Passt du auch gut auf?«

»Ja, ja!«, kam Steves Kieksstimme aus dem Dickicht.

»Gut«, sagte Fred. »Dann erklär ich euch jetzt meinen Plan.«

»Hoffentlich ist er nicht wieder so kompliziert«, stöhnte Willi.

»Nee, den wirst sogar du kapieren«, sagte Fred. »Als Erstes müssen wir sicher sein, dass die blöden Hühner heute Nacht zu Hause sind.«

»Wieso sollten sie nicht zu Hause sein?«, fragte Willi verblüfft.

»Mann, bist du dämlich«, stöhnte Fred. »Weil die wissen, dass wir die Schlüssel haben.«

»Ach was!«, sagte Torte spöttisch. »Ich wette, die heulen sich heute Abend kräftig bei Mama aus. Wenn sie überhaupt ohne Klamotten nach Hause kommen.«

99

Die *Pygmäen* strampelten mit den Beinen vor Lachen.
Die *Wilden Hühner* kochten vor Wut.

»Also, jetzt mal im Ernst«, sagte Fred im Kommandoton. »Ich
krieg raus, ob Sprotte zu Hause ist.«

»Na, dann drück mal die Daumen, dass ihre Mama da ist«,
sagte Torte. »Sonst schläft die nämlich sowieso bei ihrer
Oma.«

»Woher weißt du das denn?«, fragte Willi staunend.

»Weiß ich eben«, sagte Torte. »Hab so meine Quellen.«

»Okay, hoffen wir das Beste«, fuhr Fred fort. »Ihr kümmert
euch um den Rest. Torte übernimmt Trude, Willi Melanie
und Steve Frieda. Hast du das mitgekriegt, Steve?«

»Ja, ja!«, rief Steve zurück.

»O Mann, Willi!«, stöhnte Torte und schnalzte mit der
Zunge. »Du hast vielleicht ein Glück. Die schöne Melanie,
uiiih! Ich hab nur die olle Trude!«

Willi kicherte verlegen.

»Mistkerle!«, zischte Melanie. Trude kaute nur verlegen auf
ihrer Unterlippe herum.

»Aber wie sollen wir denn rauskriegen, ob die zu Hause
sind?«, fragte Willi.

»Na, mit dem Telefon, du Leuchte.« Torte flötete mit verstellter Stimme: »Hallo, hür üst Elisabeth. Üst moine liebe
Freundin Melanie zu Hause?«

»Genau«, sagte Fred. »Und dann sagt ihr mir sofort Bescheid,
klar? Wenn Sprotte uns nicht in die Quere kommt, treffen

wir uns um neun bei mir. Meine Eltern gehen nämlich praktischerweise aus heute Abend. In die Oper oder so was.«

»Na, du hast es gut«, rief Steve von unten. »Und was soll ich meinen Eltern erzählen, hm?«

»Sagt doch einfach alle, dass ihr bei mir übernachtet«, sagte Fred.

»Das erlauben meine Eltern sowieso nicht«, sagte Willi. »Ich werd mich wohl wegschleichen müssen. Aber spätestens um elf muss ich wieder zu Hause sein. Da kommt mein Vater nämlich von der Arbeit. Und wenn der mich erwischt, na dann, prost Mahlzeit.«

»Ist er immer noch so fies zu dir?«, fragte Fred so leise, dass die *Wilden Hühner* ihn fast nicht verstanden hätten.

»Hab keine Lust, drüber zu reden«, brummte Willi.

Ein paar Augenblicke lang war es oben im Baumhaus ganz still.

Dann rief Torte: »Hey, ich glaub, bei mir hat was angebissen!« Hastig riss er an seiner Schnur, aber an der hing nichts als triefendes Grünzeug.

»Mann, wie oft hab ich dir schon gesagt, dass du sie nicht mit so 'nem Ruck rausziehen sollst?«, stöhnte Willi.

»Diese Angelei ist sowieso albern«, sagte Fred. »Albern und stinklangweilig.«

»Das sagst du nur, weil du als Einziger noch nie was gefangen hast«, sagte Torte. »Also, wir treffen uns um neun bei dir. Dann fahren wir zu dem Oma-Haus. Und dann?«

»Und dann, und dann«, sagte Fred ärgerlich. »Das wird sich rausstellen. Schließlich haben die Mädchen den Schatz ja auch noch nicht gefunden. Wird also nicht einfach werden.«

»Zu den Hühnern geh ich aber nicht rein!«, sagte Torte. »Dass das klar ist.«

»Ich auch nicht«, sagte Willi. »Mein Opa hat mir nämlich erzählt, dass sich bei Hühnern Ratten rumtreiben.«

Die *Wilden Hühner* grinsten sich an.

»Sehr witzig!«, sagte Fred ärgerlich. »Habt ihr unsern Bandenschwur vergessen?«

»Nee, wieso?«

»Wir schwören«, sagte Fred mit weihevoller Stimme, »Leben, Ehre und Gerechtigkeit furchtlos zu verteidigen gegen Verbrecher, Piraten, Nazis, Kannibalen und gemeine Lehrer.«

»Na, siehst du«, sagte Torte. »Von Hühnern ist da keine Rede.«

Plötzlich tauchte unten neben der Leiter Steve aus dem Gebüsch auf. »Ich hab's!«, rief er nach oben. »Ein Supertrick. Ihr werdet staunen.« Schnaufend kletterte er die schiefe Leiter hinauf.

»Heee, du sollst Wache halten!«, schnauzte Fred ihm entgegen. »Nicht mit deinen blöden Karten rumspielen!«

»Quatsch!« Kichernd zog Steve sich auf die Plattform und im nächsten Moment baumelte auch sein Fußpaar über dem Tümpel.

»Wozu soll ich Wache halten, he? Glaubst du, die Mädchen rücken hier nackt und zu Fuß an, oder was?«

Darüber musste sogar Fred lachen.

»Na wartet, euch wird das Lachen noch vergehen!«, zischte Sprotte und rieb sich ärgerlich die Nase.

»Also, passt auf, ich zeig euch jetzt den besten Trick, den ihr je gesehen habt«, sagte Steve aufgeregt. »Achtung . . .«

»Wir wollen uns jetzt nicht deine blöden Tricks angucken!«, schnauzte Fred. »Mann, ihr könnt wirklich froh sein, dass die Mädchen euch nicht hören. Die beiden Helden haben Angst vor Hühnern und du hast bloß deine idiotischen Zaubertricks im Kopf. Ich fass es nicht!«

»Hör bloß auf!«, sagte Torte ärgerlich. »Wer hat denn den Mädchen die Klamotten geklaut? Das waren wir. Du sitzt doch meistens bloß hier rum und machst dicke Sprüche.«

»Na, dann sucht euch doch 'n andern Chef!«, brüllte Fred und sprang auf. »Oder besser noch, ich such mir 'ne andere Bande!«

»Mann, sind das ein paar Idioten!«, flüsterte Melanie.

Willi kicherte plötzlich los. »Mann, Fred, du hättest wirklich sehen müssen, wie dumm die geguckt haben, als wir ihre Sachen genommen haben. Wie im Film war das!«

Die *Wilden Hühner* mussten sich schwer beherrschen, nicht aus ihrem Versteck zu stürmen und die *Pygmäen* kurzerhand in die Algenbrühe zu schmeißen. Über ihren Köpfen fielen Steve und Torte fast von der Plattform vor Lachen.

»Na, so viel braucht ihr euch darauf wirklich nicht einzubilden«, sagte Fred mürrisch. »Die vier sind eben dumm wie Hühnermist.«

»Wie alle Mädchen«, sagte Steve.

Trude und Frieda wurden rot wie Fliegenpilze. Sprotte ballte die Fäuste, Melanie bekam Flecken im Gesicht und kaute auf ihren Locken herum.

»Genau«, sagte Torte. »Doof sind die alle.«

»Na, du sei bloß ruhig!«, sagte Fred spöttisch und hockte sich auf die oberste Leitersprosse. »Wer hat denn Melanie immer angeschmachtet? Sogar Liebesbriefe hast du ihr geschrieben. Hab ich mit eigenen Augen gesehen.«

»Wirklich?«, fragte Steve. »Und was hat sie geantwortet?«
Willi kicherte schon wieder.

»Ach, die hab ich doch bloß aus Quatsch geschrieben!«, sagte Torte und schmiss wütend eine leere Chipstüte ins Wasser.

»Du sollst das lassen!«, rief Fred wütend.

»Hat er dir wirklich mal Liebesbriefe geschrieben?«, flüsterte Trude Melanie ins Ohr.

Melanie nickte. Die Flecken in ihrem Gesicht waren kaum noch zu zählen.

»Kommt!«, flüsterte Sprotte. »Wir haben genug gehört. Meine Mutter ist in zehn Minuten am Schrottplatz.«

»Eins versteh ich nicht«, hörten sie Willi noch fragen. »Dieser Schatz, wenn wir ihn finden, gehört der dann nicht der Oma?«

»Quatsch!«, antwortete Fred. »So ein Schatz gehört dem, der ihn findet. Ist doch klar! Der ist doch sowieso immer irgendwie geraubt.«

»Ach so!«, murmelte Willi.

Die *Wilden Hühner* aber schlichen lautlos, wie sie gekommen waren, davon. Mit grimmigen Gesichtern.

Zum Glück fuhr Sprottes Mutter in dieser Nacht Taxi.

»Tut mir Leid«, sagte sie zu Sprotte. »Aber da ist dieser Kongress in der Stadt. Du weißt, da verdiene ich abends so viel wie sonst in einer Woche. Dafür bin ich morgen Mittag zu Hause, ja?«

»Macht überhaupt nichts, Mama!«, sagte Sprotte. »Frieda hat mich sowieso gefragt, ob ich mal wieder bei ihr schlafe.«

Sie log ihre Mutter nur sehr ungern an, aber diesmal ging es einfach nicht anders. Zwar traute Sprotte den *Pygmäen* nicht zu Oma Slättbergs Schatz zu finden. Dafür waren die wirklich zu blöd. Aber die Vorstellung, dass die Jungs in Omas Haus herumstöberten, mit ihren Algenschlammschuhen über die Teppiche trampelten und mit ihren Dreckfingern in den Schubladen rumwühlten, machte sie ganz krank. Nein, das musste verhindert werden, und wenn sie dafür ausnahmsweise mal lügen musste. Der Gedanke beruhigte ihr Gewissen sehr. Die anderen *Wilden Hühner* sagten ihren Eltern natürlich auch nicht, dass sie im Haus von Sprottes Oma allein sein würden.

»Kann ich heute bei Sprotte übernachten?«, fragten sie.
»Sprottes Mutter hat's erlaubt und außerdem haben wir doch
morgen erst um zehn Schule.«
»Ja, gut, wenn Sprottes Mutter es erlaubt hat«, sagten Friedas
Vater, Trudes Mutter und Melanies Vater. Worauf die drei
ein schlechtes Gewissen hatten, aber sehr erleichtert waren.
Die Kontrollanrufe der Jungs kamen kurz nach sieben. Die
Eltern holten ihre Töchter ans Telefon, aber als die sich
meldeten, war am andern Ende der Leitung plötzlich niemand. Da wussten die *Wilden Hühner*, dass die *Pygmäen* mit
der Ausführung ihres Plans begonnen hatten.

Um acht waren die Mädchen vor Oma Slättbergs Haus. Bis
zur Ankunft der Jungs blieb also jede Menge Zeit. Es regnete
und die Luft war unangenehm kühl. Aber der Himmel war
immer noch taghell. Zuallererst mussten sie Huberta und
Isolde aus den Salatköpfen fischen.
»Wo krieg ich bloß neue Salatköpfe her, bis Oma wieder-
kommt?« Sprotte stöhnte. »Und guckt euch bloß das Kohlbeet an!«
»Ach, das kriegen wir schon wieder hin«, sagte Melanie.
»Können wir die, die noch da sind, nicht einfach 'n bisschen
weiter auseinander pflanzen?«
»Quatsch«, Sprotte schüttelte den Kopf. »Kohl hat Pfahlwur-
zeln. Da geht uns die Hälfte ein.«
»Aha! Na, dann . . .« Melanie zuckte die Schultern.

»Auf dem Markt gibt's manchmal kleine Pflanzen zu kaufen«, sagte Frieda.

Sorgenvoll sah Sprotte sich um. »Na, da muss ich aber reichlich viele kaufen.«

»Na und?« Melanie wischte sich einen dicken Regentropfen von der Nase. »Wir legen zusammen. Schließlich sind wir doch 'ne Bande, oder?«

»Stimmt«, murmelte Sprotte und mit einem Mal ging es ihr viel besser. Sehr, sehr viel besser. Verlegen lächelte sie die andern an.

»Was haben eure Eltern eigentlich zu Oma Slättbergs Kleidern gesagt?«, fragte Frieda kichernd.

»Ach ja, das Kleid!« Melanie schlug sich vor die Stirn. »Meine Mutter hat es gleich gewaschen. Ich bring's dir morgen wieder.«

»Meine Eltern haben sich kaputtgelacht, als ich reinkam«, sagte Frieda. »Ich hab erzählt, dass wir ›Kaffeekränzchen‹ in den Sachen gespielt haben. Aber ich musste schwören, dass die Kleider vom Dachboden und nicht aus Oma Slättbergs Kleiderschrank kamen.«

»Meine Eltern haben die Nase gerümpft«, murmelte Trude. »›Zieh das sofort aus‹, hat mein Vater geschnauzt. ›Da drin siehst du ja noch trampeliger aus als . . .‹«, sie sah auf ihre Füße, »›. . . als sonst.‹«

Die drei andern schwiegen bedrückt. Dann legte Frieda den Arm um Trude. »So ein Blödsinn«, sagte sie. »Der hat doch

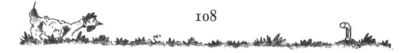

keine Ahnung. Wenn der wüsste, dass du eins der berüchtigten *Wilden Hühner* bist, na, dann würd er sich aber überlegen, was er sagt.«

»Genau!«, sagte Melanie und hakte sich bei Trude ein. »Und jetzt haben wir hier genug im Regen rumgestanden. Jetzt machen wir Oma Slättbergs Haus *pygmäen*sicher, ja?«

»Ja!«, riefen die andern drei.

Und Sprotte verkündete: »Erste Station – Hühnerstall!«

Damit die *Pygmäen* die Hühner nicht wieder freiließen, verriegelte Sprotte die Stalltür auch von innen. Dann kletterte sie durchs Fenster raus und nagelte ein Brett davor. Die Hennen saßen natürlich längst auf ihren Stangen. Beim zweiten Hammerschlag guckte Herr Feistkorn über die Hecke. »Was machst du denn da?«, fragte er misstrauisch. »Hämmern nach achtzehn Uhr ist verboten. Das sollte so ein großes Mädchen wie du wissen!«

»Ja, haben Sie denn noch nicht gehört?«, fragte Melanie, die zusammen mit Trude und Frieda am Gatter lehnte. »Heute Nacht soll es Sturm geben! So einen, bei dem die Autos durch die Luft fliegen und so. Deshalb nageln wir alle Fenster zu.«

»Ja!« Sprotte nickte. »Sollten Sie auch machen, Herr Feistkorn. Und außerdem machen Sie am besten keinen Schritt mehr vor die Tür. Wir gehen auch gleich rein.«

Beunruhigt legte Herr Feistkorn den dicken Kopf in den Nacken und sah zum grauen Himmel hinauf.

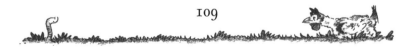

»Sieht aber kein bisschen nach Sturm aus!«, brummte er.
Trudes Lippen zuckten. Sie verschluckte ein Kichern, drehte sich mit hochrotem Kopf um und rannte zum Schuppen. Frieda lief hinterher.

»Haben die das im Radio gesagt?«, fragte Herr Feistkorn.

»Ja, ja!« Sprotte schlug den letzten Nagel ein. Etwas schief, aber das Brett hielt. »Im Sonderfunk für Haus-, Hühner- und Taubenbesitzer.«

Herr Feistkorn hatte viele Tauben. Hühner konnte er nicht ausstehen. Oma Slättberg sagte immer, dass eine Taube mehr Dreck mache als all ihre Hühner zusammen.

»Was für ein Sonderfunk? So ein Blödsinn«, knurrte Herr Feistkorn. »Nie gehört von so einem Sender.«

»Komisch«, sagte Sprotte. »Meine Oma hört den immer. Schönen Abend noch, Herr Feistkorn!«

Dann rannte sie mit Melanie zum Gartenschuppen. Frieda und Trude lehnten an Oma Slättbergs Werkzeugregal und kicherten um die Wette.

»Wenn der gleich seine Fenster zunagelt, platz ich!«, japste Trude.

»Erst mal wird er wahrscheinlich wie wild an seinem Radio rumkurbeln, um diesen Sonderfunk zu finden«, sagte Sprotte. Suchend sah sie sich um. »So, was können wir denn jetzt gebrauchen?«

»Wie wär's mit den Netzen da oben?«, fragte Melanie.

»Ach ja, die Obstbaumnetze.« Sprotte kletterte auf einen

Stapel Holzkisten und zog die Netze vom Regal. »Das ist 'ne gute Idee. Oma hängt sie immer über die Kirschbäume, damit die Vögel sich nicht alle Kirschen holen.«

»Super!« Melanie grinste voll Vorfreude. »Wenn wir davon eins über den Weg gespannt kriegen, können wir die *Pygmäen* wie Fische fangen.«

»Hm!« Sprotte zog die Stirn kraus und rieb sich ausführlich die Nase. »Wird nicht einfach. Aber wir versuchen's. Was können wir noch nehmen?«

»Wir könnten eine Fallgrube graben!«, schlug Trude aufgeregt vor. »Direkt hinterm Tor. So wie bei Tarzan, ihr wisst schon.«

Sprotte verdrehte die Augen. »Hast du schon mal versucht, so ein großes Loch zu buddeln? Da würden wir nächste Woche noch graben.«

»Ach ja. Schade«, murmelte Trude.

»Ich dachte, wir wollen die Jungs nur verjagen.« Frieda setzte sich auf einen rostigen Gartenstuhl. »Aber das mit dem Fangen«, sie grinste übers ganze Gesicht, »das gefällt mir noch viel besser.«

»Ja, und das mit dem Netz«, Melanie kicherte, »das passt doch wirklich prima, oder? Wo die so gerne angeln. Diesmal sind sie eben die Fische.«

Die *Wilden Hühner* platzten fast vor Lachen.

»Und wenn sie im Netz zappeln«, Frieda wischte sich die Lachtränen aus den Augen, »dann machen wir ihnen, edel,

wie wir sind, ein Friedensangebot. Damit wir endlich in Ruhe nach dem Schatz suchen können. Was haltet ihr davon?«

»Einverstanden«, sagte Melanie.

»Hm!« Trude nickte. »Das ist gut.«

Nur Sprotte sah nicht sonderlich begeistert aus.

»Können wir das nicht später entscheiden?«, brummte sie. »Wir sollten jetzt erst mal das Netz spannen, sonst wird aus dem Fischefangen nämlich nichts. Und dann könnt ihr euer Friedensangebot auch vergessen.«

Melanie öffnete die Schuppentür einen Spaltbreit und sah hinaus. »Stimmt, es wird schon dunkel«, sagte sie. »Wir müssen uns beeilen.«

Draußen regnete es inzwischen in Strömen.

Bis sie endlich alles vorbereitet hatten, waren sie nass bis auf die Haut. Zweimal hatten sie sich in dem aufgespannten Netz selbst verfangen, und je dunkler es wurde, desto öfter rutschten sie aus oder stolperten über die Bindfäden, die sie an das Netz gebunden hatten.

Ob wegen des Regens oder Sprottes Sturmwarnung – Herrn Feistkorns roter Kopf erschien nicht noch einmal über der Hecke.

Niesend und mit schmerzenden Knien liefen die Mädchen schließlich ins Haus, zogen die klitschnassen Sachen aus und holten sich zum zweiten Mal an diesem Tag Kleider vom

Dachboden. Durchs offene Küchenfenster hingen die Bindfäden, die sie an das Netz gebunden hatten.

»O nein, jetzt können wir das Fenster ja gar nicht zumachen«, sagte Melanie, die sich mit Oma Slättbergs Handtuch die langen Haare trockenrubbelte.

Trude nieste so laut, dass die andern zusammenzuckten.

»Das Licht können wir auch nicht anmachen!«, schniefte sie.

»Na, wenn du so niest wie gerade eben, wissen die sowieso, dass wir hier sind«, sagte Sprotte. Besorgt besah sie sich die Rüschen am Saum ihres schwarzen Kleides. »Hoffentlich ruinier ich das nicht auch noch!«, sagte sie. »Das Ding, das ich im Wald anhatte, ist völlig hin.«

»Meins sieht auch ziemlich schlimm aus«, sagte Trude kleinlaut. »Ich hab es meiner Mutter gegeben – aber die hat nur gefragt, ob sie es nicht besser wegwerfen soll.«

Sprotte stöhnte. »Na bitte. Kann mir mal eine sagen, wie ich die Kleider wieder so hinkriege, dass meine Oma nichts merkt?«

»Also, meins ist völlig in Ordnung«, sagte Melanie. »Muss nur gewaschen werden.«

»Gebt sie mir«, sagte Frieda. »Ich besser sie aus.«

»Kannst du etwa nähen?«, fragte Trude ungläubig. »Ich mein, so richtig?«

Frieda nickte. »Ich hab mir sogar schon mal 'ne Hose genäht. Und Kleider für meine Puppen und so was. Das krieg ich schon hin.«

Draußen war es inzwischen stockdunkel. Genauso dunkel wie in der Nacht, als Sprotte mit ihrer Mutter nach Isolde gesucht hatte. Die vier *Wilden Hühner* drängten sich vor dem Küchenfenster. Jede nahm einen der Bindfäden in die Hand. Quer durch Oma Slättbergs Garten spannten sie sich bis in die Kronen der Obstbäume, die zu beiden Seiten des Weges wuchsen. Das große Netz schwebte fast unsichtbar zwischen ihnen in der Dunkelheit.

Sprotte schüttelte den Kopf. »So funktioniert das nicht«, sagte sie leise. »Zwei von uns müssen nach draußen, unter die Bäume, und von da aus ziehen. Eine links, eine rechts.«

»Was? Da raus?«, sagte Melanie. »Na, dann Freiwillige vor!«

Frieda stieß Sprotte an. »Komm, wir beiden machen's, ja?«

»Okay.« Sprotte nickte. »Wir sind ja nicht aus Zucker wie die süße Melanie!«

»Haha!« Melanie schnitt ihr eine Fratze.

»Da hängen zwei Mäntel an der Garderobe«, sagte Sprotte. »Die ziehen wir noch über.«

Es waren richtige Oma-Mäntel. Dick, dunkel und schwer.

»Toll seht ihr aus!«, sagte Melanie kichernd. »Die Jungs werden denken, zwei wild gewordene Omas überfallen sie.«

»Es ist schon Viertel nach neun«, flüsterte Trude und presste die Nase gegen die Fensterscheibe. »Jetzt kommen sie bestimmt bald.«

Aber sie mussten noch sehr lange warten.

Es war Viertel nach zehn, als die *Pygmäen* kamen.

Sprotte und Frieda waren trotz ihrer dicken Mäntel so durch-
gefroren, dass sie mit den Zähnen klapperten. Ihre Füße
waren pitschnass vom Regen und von den Haaren tropfte
ihnen das Wasser in den Kragen.

Widerlich.

Warum muss es ausgerechnet heute regnen?, dachte Sprotte
wütend. Warum, warum, warum? Gerade wollte sie sich
aufrichten, weil ihre Beine eingeschlafen waren und ihre
Knie höllisch wehtaten, als sie die Fahrräder hörte. Das
Knirschen der Reifen auf dem nassen Schotter, das Klappern
der Schutzbleche – und die Stimmen der Jungs.

»So ein verdammtes Sauwetter!«, sagte Torte.

Und Steve maulte: »Hätten wir die Sache nicht auf morgen
verschieben können?«

Sprotte hörte, wie sie anhielten, abstiegen und ihre Räder
gegen die Hecke lehnten.

»Hört endlich auf zu meckern«, sagte Fred. »Ist doch prima,
das Wetter. So ist wenigstens kein Mensch auf der Straße

oder guckt sich die Blumen in seinem Garten an. Außerdem hätten wir's längst hinter uns, wenn Steve sein Fahrrad in Schuss hätte.«

»Da hat jemand dran rumgefummelt!«, rief Steve. »Ich schwör's euch.«

»Ja, ja!«, sagte Fred. »Still jetzt.«

Oma Slättbergs Tor quietschte leise, als er es öffnete. Sprotte und Frieda pressten sich so dicht wie möglich an die tropfnassen Baumstämme. Die Jungen blieben zögernd stehen und sahen zum Haus hinüber.

»Da ist alles dunkel«, flüsterte Willi.

»Na klar«, flüsterte Fred zurück. »Hier ist keiner. Nun macht euch nicht in die Hosen.«

Im Schneckentempo schlichen sie auf das Haus zu.

Nun macht schon, dachte Sprotte. Noch ein paar Schritte und sie würden unter dem Netz stehen.

»He, Fred!«, sagte Steve und blieb stehen. »Ich weiß nicht. Meinst du wirklich, dass wir da einfach reingehen können?« Seine Stimme klang schrill vor Aufregung.

»Oh, komm schon«, sagte Fred ärgerlich. »Wir machen doch nichts kaputt oder so. Und klauen wollen wir auch nichts.«

»Außer dem Schatz«, sagte Torte und kicherte nervös.

»Es ist aber doch irgendwie Einbruch«, sagte Steve.

»So ein Blödsinn!«, zischte Fred. »Wir haben doch einen Schlüssel. Haben Einbrecher etwa 'nen Schlüssel?«

Steve antwortete nicht. Keiner sagte was.

»Los jetzt!«, raunte Fred und die vier setzten sich wieder in Bewegung.

Jetzt!, dachte Sprotte. Ihr Herz hüpfte wie ein Jojo. Sie stieß einen schrillen Pfiff aus und die vier *Wilden Hühner* zogen an den Netzleinen.

Sprottes Pfiff ließ die *Pygmäen* zu Salzsäulen erstarren. Wie das Netz einer Riesenspinne fiel Oma Slättbergs Obstbaumnetz auf sie herab. Überrascht stolperten sie gegeneinander, verhedderten sich noch mehr und plumpsten wie ein Haufen gefangener Fische auf den matschigen Boden.

»Maßarbeit!«, rief Sprotte, sprang auf und rannte mit Frieda auf den zappelnden Haufen zu. Fluchend und wild durcheinander schreiend lagen die *Pygmäen* auf Oma Slättbergs Gartenweg.

Melanie und Trude kamen aus dem Haus gerannt. Trude richtete eine Taschenlampe auf die Gefangenen. Klitschnass vom Regen sahen die *Pygmäen* wirklich wie merkwürdige Fische aus. Zwei von ihnen schafften es, sich hinzuknien, und starrten die Mädchen wütend durch die Maschen des Netzes an.

»Lasst uns sofort raus!«, schnauzte Fred.

Kichernd hakte Melanie sich bei Sprotte und Frieda ein. »Na, haben wir das nicht gut gemacht?«

»Ihr blöden Gänse!«, schimpfte Torte.

»War gar nicht so einfach zur richtigen Zeit zu ziehen«, sagte Trude.

Sprotte ging in die Hocke und grinste den wutschnaubenden

Fred an. Willi und Steve hatten sich inzwischen auch hochgerappelt, aber sie waren immer noch sprachlos von dem Schreck. Während Willi wieder mal sein Frankenstein-Gesicht aufgesetzt hatte, guckte Steve einfach nur völlig verblüfft und ein bisschen ängstlich drein.

»Na, ihr Einbrecher?«, sagte Sprotte. »Was sollen wir denn jetzt mit euch machen? Irgendwelche Vorschläge?«

»Das war doch nur Spaß«, kiekste Steve. »So wie ihr das mit der Leiter gemacht habt.«

»Das war was anderes«, sagte Sprotte.

»Wieso das denn?«, fragte Torte und versuchte seinen Arm unter Steves dickem Bein hervorzuzerren. »Was war denn daran anders, he?«

»Keine Polizei!«, stieß Willi plötzlich hervor und es klang fast ein bisschen panisch. »Bitte nicht!«

»Wie kommst du denn auf so einen Blödsinn?«, fragte Sprotte ärgerlich. »Ich will nur den Schlüsselbund von meiner Oma wiederhaben. Dann lassen wir euch laufen.«

»Rück ihn schon raus, Fred!«, sagte Torte.

Mürrisch versuchte Fred an seine Hosentasche zu kommen, aber in dem Gewirr von Armen und Beinen war das nicht ganz einfach.

»Ich komm nicht dran. Keine Chance. Steves dicker Hintern ist im Weg.«

»Warte, ich versuch's«, sagte Steve und griff nach einigen Verrenkungen in Freds Hosentasche. »Ich hab ihn.«

»Na, ein Glück!«, stöhnte Torte. »Dann gib ihnen das Ding endlich!« Er nieste. »Verdammt, jetzt hab ich mich erkältet. Daran seid ihr schuld.«

»Wirst schon nicht tot umfallen davon!«, sagte Melanie spöttisch. Kichernd stieß sie Trude an. »Mann, das werd ich nie vergessen, wie blöd die jetzt aussehen.«

»Verflixt«, stöhnte Steve. »Jetzt sind mir die Schlüssel in den Matsch gefallen.«

»Wenn das ein Trick sein soll«, sagte Sprotte.

»Ist kein Trick, wirklich nicht!«, beteuerte Steve und suchte fieberhaft in der matschigen Erde herum.

»Nee, der ist so blöd!«, knurrte Fred düster. »Hast du ihn jetzt endlich? Ich spür meinen Hintern schon nicht mehr.«

»Ja, da ist er!«, rief Steve erleichtert, zwängte seine kurzen, dicken Finger durch das Netz und gab Sprotte den schlammverschmierten Schlüsselbund.

»Pfui Teufel«, sagte Sprotte angeekelt. »So eine Schweinerei.«

»Tut mir Leid«, sagte Steve mit verlegenem Lächeln. »War echt keine Absicht.«

»Sollen wir sie jetzt rauslassen?«, fragte Trude.

»He, da kommt ein Auto«, sagte Willi erschrocken.

Erstaunt richtete Trude die Taschenlampe aufs Gartentor. Da hielt wirklich ein Auto. Grün und weiß.

»Polizei!«, flüsterte Sprotte. »Was soll das denn?«

»Die habt ihr gerufen!«, zeterte Willi. »Ihr gemeinen Kühe!«

Panisch zerrte er an dem Obstbaumnetz herum. »Ich will raus hier!«

»He, beruhig dich!«, sagte Fred.

»Wir haben die nicht gerufen!«, beteuerte Sprotte. »Heiliges Ehrenwort. Wir sind doch nicht verrückt geworden.«

Gebannt starrte sie auf das Auto. Die Türen gingen auf und zwei Polizisten stiegen aus.

Melanie zerrte an dem Netz. »Los, helft mir mal«, zischte sie.

Gemeinsam zogen die *Wilden Hühner* an dem Netz herum, aber die Jungs hatten sich so fest darin verfangen, dass sie es einfach nicht losbekamen.

»Sie kommen rein!«, flüsterte Frieda.

Die Polizisten öffneten das Gartentor. Der eine war riesengroß und ziemlich dick, der andere klein und mager. »Guten Abend, die Herrschaften«, sagte der Kleine.

»Guten Abend!«, sagten die *Wilden Hühner* im Chor.

»Guten Abend!«, murmelten die *Pygmäen* in ihrem Netz.

»Ist das nicht schon ein bisschen spät für euch?«, fragte der große Polizist, während der andere erstaunt auf das gefüllte Obstbaumnetz guckte.

»Och«, sagte Sprotte, »wir . . . wir haben ja erst um zehn Schule morgen.«

»Soso!« Die beiden Polizisten grinsten sich an. »Na ja, aber trotzdem. Was macht ihr denn eigentlich da, wenn ich mal fragen darf?«

Angstvoll sahen die Jungs die Mädchen an.

»Wir feiern 'n bisschen«, sagte Melanie. »Wissen Sie – ich hab nämlich Geburtstag. Und da haben wir eben so verrückte Spiele gemacht.«

»Das sieht allerdings ziemlich verrückt aus«, sagte der kleine Polizist. »Wie heißt denn das Spiel, das ihr da gerade spielt?«

»Pygmäen fangen«, sagte Frieda.

»Aha.« Die Polizisten wechselten wieder einen Blick. Die Jungs gaben immer noch keinen Mucks von sich.

»Könnten Sie uns vielleicht helfen das Netz wieder abzubekommen?«, fragte Trude verlegen. »Wir schaffen es nämlich irgendwie nicht.«

»Na klar!«, sagten die beiden Polizisten und machten sich an die schwierige Aufgabe.

»Kommen Sie eigentlich zufällig hier vorbei?«, fragte Sprotte. Ein Bein und ein Arm von Fred waren schon frei.

»Nein, wir sind angerufen worden«, sagte der Große und hielt eine Seite des Netzes hoch. »So, kriecht hier raus.«

Fred und Torte krabbelten matschverschmiert und triefend in die Freiheit. Seufzend richteten sie sich auf.

»Mein Arm sitzt noch fest!«, jammerte Steve.

»Warte, das haben wir gleich«, sagte der kleine Polizist.

»Wieso angerufen?«, fragte Sprotte ungläubig. »Wer denn?«

»Ein Herr Feistkorn!«, antwortete der Große, während er Steve am Arm ins Freie zog. »So, jetzt fehlt nur noch einer.«

»Ich komm schon!«, sagte Willi leise.

»Na, hätt ich mir denken können!«, murmelte Sprotte.

»Über ruhestörenden Lärm hat er sich beschwert«, sagte der kleine Polizist.

»Und einen versuchten Einbruch durch eine Jugendbande hat er gemeldet«, sagte der andere. »Aber davon habt ihr nichts bemerkt, oder?«

Die *Wilden Hühner* schüttelten energisch die Köpfe. Die *Pygmäen* auch.

»Der Feistkorn spinnt!«, sagte Sprotte. »Der erzählt dauernd so einen Mist. Und ewig spioniert er hinter einem her.«

»Er wohnt nebenan?«, fragte der große Polizist und zog seinen Schreibblock hervor.

»Ja, ja.« Sprotte guckte besorgt auf den Block. »Was schreiben Sie denn da auf?«

»Ach, nur Routine«, sagte der Polizist. »Dass wir hier waren und nichts Verdächtiges bemerkt haben.«

»Ach so!« Wütend guckte Sprotte zu Herrn Feistkorns Hecke hinüber. »Das ist typisch. Echt typisch. Sonst steckt er dauernd seine dicke Nase da rüber, aber jetzt lässt er sich nicht blicken.«

»So ein Feigling!«, sagte Melanie. Und schenkte den beiden Polizisten ihr strahlendstes Lächeln.

»Das ist meistens so«, sagte der kleine Polizist. »Die Leute, die bei uns anrufen, lassen sich selten blicken. Manchmal sagen sie nicht mal ihren Namen am Telefon. Na ja.« Er sah die pitschnassen Kinder an. »Wer wohnt denn nun eigentlich hier?«

»Ich«, sagte Sprotte hastig. »Und meine Freundinnen übernachten heute hier.«

»Hm, und deine Eltern, wo sind die?«

»Meine Mutter arbeitet noch«, sagte Sprotte und bekam ganz heiße Ohren. »Aber sie kommt bald. Ganz bestimmt.«

»Und dein Vater?«

»Hab ich nicht«, sagte Sprotte.

»Na gut.« Die Polizisten sahen sich an. »Euch alle hätten wir sowieso nicht mitgekriegt. Dann wollen wir mal die Herrn nach Hause bringen.«

»Was?« Entsetzt rissen die Jungs die Augen auf. »Aber – aber wir kriegen Heidenärger, wenn wir da im Bul. . . im Polizeiauto ankommen«, stammelte Fred. »Mein Vater denkt doch, ich hab Gott weiß was angestellt.«

»Mein Vater schlägt mich tot«, murmelte Willi. »Der schlägt mich glatt tot.«

Sprotte rieb sich die Nase. »Ich hab ganz vergessen zu sagen«, rief sie plötzlich, »dass die Jungs natürlich auch hier schlafen. Ist doch klar.«

»Das fällt dir aber ziemlich spät ein«, sagte der kleine Polizist.

»Och, das kommt nur, weil . . . weil ich schon so müde bin!«, sagte Sprotte und gähnte ausgiebig.

Die beiden Polizisten steckten die Köpfe zusammen. Der eine guckte auf seine Uhr. Sie tuschelten ziemlich lange miteinander. Dann drehten sie sich schließlich um. Ängstlich starrten die Kinder sie an.

»Also gut«, sagte der Große. »In einer Stunde kommen wir noch mal vorbei. Wenn deine Mutter bis dahin nicht da ist, bringen wir eine Ladung von euch nach Hause.«

»Aber . . .«

»Kein Aber. Sollte sich bis dahin noch mal jemand wegen Lärm beschweren, bringen wir euch alle nach Hause. Klar?«

»Klar!«, murmelten die *Wilden Hühner.*

»Klar!«, murmelten die *Pygmäen.*

»Na, dann bis in einer Stunde«, sagte der Kleine und legte den Finger an die Mütze. »Und legt euch ruhig schon mal ein bisschen aufs Ohr.«

»Machen wir«, brummte Sprotte.

Dann waren die beiden Polizisten verschwunden.

»Kommt deine Mutter wirklich bald?«, fragte Fred.

»Keine Spur!«, sagte Sprotte düster und rieb sich wie verrückt die Nase. »Und ich bin nicht sicher, dass ich sie in einer Stunde auftreibe.«

16

»Kommt«, sagte Sprotte und winkte die ganze Versammlung hinter sich her. »Wir gehen erst mal ins Haus.«

»Nee, ich hau ab!«, sagte Willi. »Sofort!« Und er lief aufs Gartentor zu.

»Aber guck doch mal, wie du aussiehst!«, rief Fred. »So kannst du doch nicht zu Hause aufkreuzen.«

»Immer noch besser, als wenn ich überhaupt nicht komme. Wie spät ist es überhaupt?«

»Elf«, sagte Torte. »Ziemlich genau.«

»Oh, Scheiße!« Hastig stieg Willi auf sein Rad. Die andern glaubten ein Schluchzen zu hören, aber dann war er auch schon ohne ein weiteres Wort verschwunden.

»Was ist denn mit ihm?«, fragte Frieda besorgt.

»Sein Vater verhaut ihn gern«, sagte Fred.

Bedrückt gingen sie in Oma Slättbergs Küche. Sprotte machte Licht an, ließ den Kessel voll Wasser laufen und stellte ihn auf den Herd.

»Ich glaub, wir können alle was Heißes vertragen«, sagte sie.

»Was denken eure Eltern denn, wo ihr seid?«, fragte Melanie die Jungs.

»Die denken, ich bin bei Fred«, sagte Steve mit verlegenem Lächeln, während er sich in Oma Slättbergs Küche umsah.

»Meine auch«, sagte Torte. Er guckte an sich runter. »Mann, seh ich aus. Ihr habt nicht zufällig trockene Klamotten da?« Er wurde rot. »Klamotten für Jungs, meine ich.«

»Nee, nur jede Menge alte Kleider!«, sagte Trude und kicherte verlegen.

Frieda musterte die Jungs von Kopf bis Fuß. »Ihr müsst aber aus den Sachen raus«, sagte sie. »Sonst habt ihr morgen einen dicken Schnupfen oder noch was Schlimmeres. Sieht ja keiner, wenn ihr die Kleider jetzt anzieht. Allerdings – ob eure Sachen bis morgen trocken sind?« Sie zuckte die Achseln.

»Dann müssen sie eben in Kleidern zur Schule gehen«, sagte Melanie.

Mit roten Köpfen sahen die Jungen auf ihre matschverschmierten Hosen.

»Ich kann die Heizung anmachen«, sagte Sprotte. »Wenn wir sie da drüberhängen, sind die Sachen morgen trocken. Und den Dreck bürsten wir raus.«

»Danke.« Fred guckte die andern an. »Mensch, ich frier wie 'n Schneider.«

Frieda und Sprotte hängten ihre dicken Mäntel zurück in den Flur.

»Okay, wir ziehen die blöden Kleider an«, murmelte Fred, als sie zurückkamen.

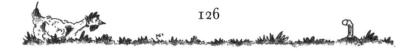

»Vernünftig«, sagte Melanie. »Dahinten ist das Badezimmer. Komm, Trude. Wir gucken mal, was noch auf dem Boden ist.« Hastig verschwanden die Jungs im Badezimmer.

»Ich muss den Taxi-Dienst anrufen«, sagte Sprotte. »Die müssen Mama anfunken.« Seufzend goss sie den Tee auf. »Die wird ganz schön sauer sein.«

Frieda stellte sieben Becher auf den Tisch.

»Stell ruhig 'n paar Kekse hin«, sagte Sprotte. »Ist sowieso alles egal. Wenn ich dran denke, was der Feistkorn Oma alles erzählen wird. Oje.«

»Hast du die Nummer vom Taxi-Dienst?«, fragte Frieda und stellte die Keksdose auf den Tisch.

»Nee, die ist natürlich zu Hause«, sagte Sprotte. »Aber da im Schrank liegt Omas Telefonbuch. Vielleicht ist die Nummer da auch drin.«

Frieda sah nach. »Hier steht was von Taxi-Blitz.«

»Das ist sie«, sagte Sprotte. Mit zusammengekniffenen Lippen ging sie zum Telefon. Sie sah sehr unglücklich aus. »Meine Mutter kann es nicht ausstehen, wenn ich sie anlüge«, sagte sie. Zögernd nahm sie den Hörer auf. »Sag schon.«

»23331«, sagte Frieda.

»Na klar, jetzt weiß ich sie wieder«, sagte Sprotte. »Kinderleichte Nummer.«

Melanie und Trude kamen mit Stapeln von Hosen, Pullovern und Kleidern herein.

»Pssst!« Warnend legte Frieda den Finger auf den Mund. »Sprotte ruft gerade ihre Mutter an.«

»O weia, die wird ganz schön sauer sein, was?«, flüsterte Melanie. »Wir haben oben ein paar alte Hosen von Sprotte gefunden. Sind wahrscheinlich zu kurz, aber ich wette, die ziehen die Jungs lieber an als Kleider. Komm«, sie stieß Trude an. »Wir legen sie ihnen vor die Tür.«

»Ja, hallo?«, sagte Sprotte mit dünner Stimme ins Telefon. »Hier ist Charlotte Slättberg. . . . Ja, genau. Könnten Sie wohl meiner Mutter was ausrichten? Sie soll sich keine Sorgen machen, aber bitte ganz schnell zum Haus von meiner Oma kommen. Ganz dringend, ja. Danke.«

Mit blassem Gesicht legte Sprotte auf. »Ich hab sie noch nie angerufen, wenn sie arbeitet.«

»So ein Mist. Jetzt hast du den ganzen Ärger!«, sagte Frieda.

»Na ja.« Sprotte zuckte die Achseln. »Aber das sag ich dir, dem Feistkorn, dem erzähl ich noch was. O verflixt, der Tee!« Hastig lief sie zum Herd und zog das Teesieb aus der Kanne. »Schwarz wie Kaffee.«

»Deine Sachen passen ihnen richtig gut!« Grinsend schob Melanie Fred und Torte vor sich her in die Küche. »Nur bei Steve war es ein bisschen schwierig.«

Mit rotem Kopf kam Steve hinter Trude herein. Er steckte in einem alten T-Shirt von Sprotte wie die Wurst in der Pelle. Bei der gestreiften Cordhose bekam er den Knopf nicht zu, und die Hosenbeine hatten die Mädchen ihm bis zu den

Knien aufgeschlitzt. Fred und Torte dagegen passten wunderbar in die Sachen, die Sprotte längst zu kurz waren.

»Praktisch, dass ihr nicht die Größten seid!«, sagte Melanie spöttisch.

»Hauptsache, wir mussten keine Kleider anziehen«, murmelte Torte.

Sprotte goss allen Tee ein, sah nervös zur Uhr und setzte sich dann auf den Rand ihres Stuhls, als wollte sie jeden Moment wieder aufspringen. Steve starrte wie hypnotisiert auf Oma Slättbergs Kekse. Trude nahm zwei und schob ihm einen rüber.

»Hast du deine Mutter erreicht?«, fragte Fred.

Sprotte nickte, aber sie sah ihn nicht an.

»Ja, toll«, sagte Frieda ärgerlich zu Fred. »Eure Eltern werden nichts erfahren von dem Mist, den ihr hier veranstaltet habt. Aber Sprotte wird einen Höllenärger mit ihrer Mutter kriegen!«

»Tut uns Leid«, murmelte Torte. »Echt. Aber was können wir dafür, wenn dieser blöde Nachbar gleich die Polizei ruft?«

»Was ihr dafür könnt?« Melanie warf ärgerlich ihre Locken zurück. »Wer hat denn mit dem ganzen Mist angefangen?«

»Wir nicht!«, sagte Fred empört.

»Klar, ihr!«, rief Sprotte. »Wer hat denn die Hühner rausgelassen, he?«

Steve sah verlegen auf seine Finger, aber dann konnte er sich einfach nicht mehr beherrschen und nahm sich einen Keks.

»Na, und das mit der Leiter?«, fragte Torte. »War das vielleicht fair?«

»Das war nur die Rache für die Hühner«, sagte Melanie. »Und dann habt ihr uns in den Schuppen von Mausmann gesperrt.«

»Und ihr habt an den Fahrrädern rumgemacht!«, rief Fred wütend.

»Na, und ihr?«, rief Sprotte und haute so fest auf den Tisch, dass aus allen Bechern der Tee schwappte. »Ihr habt mir die Schlüssel geklaut. Und dann wolltet ihr sogar einbrechen. Wenn das nicht gemein ist, dann weiß ich nicht.«

»Das ist alles kompletter Schwachsinn«, murmelte Frieda. »Von Anfang bis Ende alles kompletter Schwachsinn.«

In dem Moment klingelte es. Alle sahen erschrocken zur Uhr. Sprotte wurde weiß wie Oma Slättbergs Teekanne. Sie stand auf, als wären ihre Glieder zentnerschwer.

Es klingelte noch mal. Und noch mal.

Sprotte öffnete die Tür.

»Hallo, Mama«, sagte sie kläglich. »Danke, dass du gekommen bist.«

Sprottes Mutter sah ihre Tochter einen Moment lang sprachlos an. Dann packte sie sie an den Schultern, drehte sie einmal um ihre Achse und stöhnte erleichtert auf. »Du siehst ganz gesund aus«, sagte sie ungläubig. »Was, um Himmels willen, machst du hier, Charlotte? Ich denke, du bist bei Frieda?«

»Das – das war gelogen«, sagte Sprotte, »weil, weil – ich musste das einfach tun, Mama. Weil . . .«

»Weil was?«, fragte ihre Mutter ärgerlich. »Du lügst mich doch sonst nicht an.«

»O bitte, Mama!«, sagte Sprotte. »Ich werd dir alles erklären. Bestimmt. Aber das dauert jetzt zu lange, weil . . .«, sie holte tief Luft und sah ihre Mutter nicht an, ». . . die Polizei kommt doch gleich.«

»Waas? Die Polizei? Wieso die Polizei?«, fragte ihre Mutter entsetzt. »Um Himmels willen, nun erzähl endlich, was los ist.«

Sprotte griff nach ihrer Hand. »Komm doch erst mal rein, Mama. Dann erklär ich's dir. Ist ziemlich kompliziert, weißt du.« Mit verlegenem Lächeln zog sie ihre Mutter in die Küche.

»Das sind alles meine Freunde, Mama«, sagte sie. »Mehr oder weniger.«

Fassungslos starrte ihre Mutter auf die Versammlung am Küchentisch.

»Guten Abend, Frau Slättberg«, sagte Melanie. »Nett, dass Sie gekommen sind.«

»Abend«, sagte Fred verlegen.

»Abend«, murmelten Torte und Steve.

»Warum haben die Jungs denn deine alten Sachen an?«, fragte Sprottes Mutter entgeistert. »Und was macht ihr alle um diese nachtschlafende Zeit hier?« Aufseufzend ließ sie

sich auf Sprottes Stuhl fallen. »O Gott, jetzt muss ich mich erst mal setzen. Mindestens zehn rote Ampeln habe ich überfahren, um schnell hierher zu kommen. Und was finde ich? Eine Kinderparty!« Kopfschüttelnd guckte sie Sprotte an. »Na, sei nur froh, dass deine Oma das nicht sieht.«

»Willst du Tee?«, fragte Sprotte kleinlaut. »Ist Brombeertee. Den magst du doch so gern.«

Ihre Mutter nickte.

»Mama, die Polizisten kommen gleich wieder«, sagte Sprotte, während sie ihrer Mutter einen Becher Tee hinstellte.

»Kannst du denen sagen, dass du jetzt hier bleibst und aufpasst und – und dass alle hier schlafen können, weil wir doch gefeiert haben?«

»Aha«, sagte Sprottes Mutter. »Gefeiert habt ihr. Und was habt ihr gefeiert? Oder ist das auch wieder so eine von deinen obergeheimen Sachen, hm?«

»Eigentlich haben wir ja gar nicht gefeiert«, sagte Frieda. »Das haben wir denen ja nur so gesagt, verstehen Sie?«

Sprottes Mutter schüttelte den Kopf. »Ehrlich gesagt verstehe ich überhaupt nichts.«

»Macht ja nichts, Frau Slättberg«, sagte Melanie tröstend. »Hauptsache, die Polizei sieht, dass jetzt ein Erwachsener da ist. Dann sind die schon beruhigt.«

»Soso«, murmelte Sprottes Mutter. »Ich bin aber überhaupt nicht beruhigt. Was habt ihr denn bloß angestellt, dass die Polizei hierher kommt?«

»Ach, wirklich nichts Schlimmes«, sagte Sprotte. »Kein biss-chen. Aber der blöde Feistkorn hat uns verpfiffen.«

»Verpfiffen? Ja um Gottes willen, weswegen denn?«

»Sprotte«, sagte Frieda, »ich glaub, du musst deiner Mutter die Geschichte von Anfang an erzählen. Sonst versteht sie kein Wort.«

»Na gut!«, seufzte Sprotte. »Wenn du meinst. Auch das mit dem Schatz?«

Frieda nickte.

»Was für ein Schatz denn?«, stöhnte Sprottes Mutter.

Sprotte rieb sich die Nase. »Na, Omas Schatz, Mama«, sagte sie. »Aber am besten fang ich jetzt mal an, sonst kommt die Polizei wieder und du weißt nicht, was du sagen sollst.«

»Also gut«, sagte Sprottes Mutter, als sie die ganze kompli-zierte Geschichte und fast alles über *Wilde Hühner* und *Pyg-mäen* erfahren hatte, »ich bringe das für euch in Ordnung. Aber nur unter einer Bedingung.«

»Jetzt kommt der Haken«, murmelte Torte.

»Ich möchte«, fuhr Sprottes Mutter fort, »dass ihr Frieden miteinander schließt. Und zwar hier an diesem Tisch. Wie lange so ein Frieden hält, das weiß man leider nie, aber das ist meine Bedingung.«

Die *Wilden Hühner* guckten die *Pygmäen* an und die *Pygmäen* guckten die *Wilden Hühner* an.

Dann sagte Fred: »Wir müssen mal kurz beraten.«

»Wir auch«, sagte Sprotte.

»Na gut, beratet«, sagte ihre Mutter. »Aber ihr habt nicht mehr viel Zeit.«

Also steckten auf der einen Seite von Oma Slättbergs Tisch Sprotte, Frieda, Melanie und Trude die Köpfe zusammen. Und Fred, Torte und Steve tuschelten auf der anderen.

Schließlich hob Sprotte den Kopf. »Wir sind einverstanden«, verkündete sie, »wir haben sowieso was Besseres zu tun als dieses ständige Hin- und Hergeräche.«

»Wir sind auch einverstanden«, sagte Fred. »Und wir sagen das auch im Namen von Willi. Frieden.«

»Außer, ihr fangt wieder an uns zu ärgern«, sagte Torte.

»Wieso wir?«, fragte Sprotte. »Bisher seid doch immer nur ihr angefangen. Das . . .«

»Geht das jetzt schon wieder los?«, unterbrach ihre Mutter sie.

Zerknirscht starrten die Streithähne auf Oma Slättbergs geblümtes Tischtuch.

»Nein, nein«, sagte Sprotte. »Frieden.«

»Frieden«, wiederholte Fred und streckte seine Hand über den Tisch.

Sprotte ergriff sie. Dann legten Melanie, Frieda, Trude, Torte und Steve auch noch ihre Hände drauf.

»Gut«, sagte Sprottes Mutter. »Jetzt kann die Polizei kommen.«

Sprottes Mutter machte ihre Sache mit der Polizei ganz fabelhaft. Sagte, sie hätte nur kurz ein Kind weggebracht, das nach Hause gewollt hätte, aber jetzt wäre sie ja wieder da und ob die Herrn Polizisten noch auf eine Tasse Kaffee reinkommen wollten. Der große und der kleine Polizist lehnten dankend ab und fuhren zufrieden davon. Und Fred murmelte so was wie, dass man Sprotte um ihre Mutter glatt beneiden könnte. Der Meinung waren die anderen auch. Und Sprotte war so stolz, dass sie glatt hätte platzen können.

Dann überlegten sie alle, wie sich für vier *Wilde Hühner*, drei *Pygmäen* und Sprottes Mutter in Oma Slättbergs kleinem Haus ein Platz zum Schlafen finden ließ. Nach Hause konnte niemand, sonst wäre der ganze Schwindel ja aufgeflogen.
Schließlich schlief Sprotte mit ihrer Mutter in Oma Slättbergs großem Bett, Melanie und Trude teilten sich das Bett, in dem Sprotte sonst immer schlief, und Frieda schlief auf dem Sofa in der Küche – was sie wunderbar gemütlich fand. Die Jungs aber verbrachten die Nacht auf dem Dachboden, wo sie

zusammen mit den Mädchen ein erstklassiges Riesenbett aus alten Teppichen, Häkelkissen und Decken bauten. Die *Pygmäen* mussten bei ihrer Bandenehre schwören, dass sie nicht in Oma Slättbergs Sachen herumspionieren würden.

Aber als alles im Haus längst schlief, hörte Sprotte es über ihrem Kopf immer noch kichern und rumoren. Wenn die sich nun nicht an ihr Versprechen halten, dachte sie und überlegte besorgt, ob sie besser mal hochschlich und nachsah. Aber bevor sie auch nur ein Bein aus dem Bett bekam, war sie eingeschlafen.

Die *Pygmäen* hielten sich an ihr Versprechen. Zumindest sahen Oma Slättbergs Kisten und Kästen am nächsten Morgen unangetastet aus, als die Mädchen kamen, um die Jungs zu wecken. »Frühstück!«, brüllte Sprotte, so laut sie konnte, bevor sie mit den andern die Leiter hinaufstürmte. Drei völlig verschlafene Köpfe quälten sich von Oma Slättbergs Häkelkissen hoch.

»Ja, ja!«, murmelte Fred und machte ein verquollenes Auge auf. »Wie spät ist es denn?«

»Sechs Uhr!«, rief Melanie und zog ihm kurzerhand die Decke weg. »Sprottes Hühner sind schon längst auf den Beinen.«

»Wir haben sie sogar schon gefüttert«, sagte Frieda und kitzelte Steve an den nackten Füßen. Kichernd versteckte er sich unter seiner Decke.

»Sechs Uhr?«, kreischte Torte. »Seid ihr verrückt gewor-

den? Ich steh immer frühestens halb acht auf. Halb acht, klar?«

»Kannst du gerne machen«, sagte Sprotte. »Wenn du in meinen Klamotten zur Schule gehen willst.«

Entsetzt sah Torte sie an. »Wieso, sind unsere Sachen denn nicht trocken?«

Melanie kicherte. »Trocken schon«, sagte sie. »Aber steif wie 'n Brett vor Dreck.«

»Ja, und bürsten hilft da auch nichts«, fügte Frieda hinzu. »Deshalb dachten wir, ihr wollt vielleicht noch mal nach Hause, euch umziehen. Aber wenn ihr lieber weiterschlafen wollt . . .« Sie zuckte die Schultern.

»Ja, wenn sie lieber weiterschlafen wollen«, sagte Sprotte und zog Melanie und Frieda mit zur Leiter. »Dann sollen sie das ruhig, was?«

Kichernd stiegen die vier Mädchen die Leiter runter.

»Ist schon gut!«, brüllte Fred ihnen hinterher. »Wir kommen gleich!«

Und hastig zwängten sich die drei in die viel zu engen Hosen.

Nach dem Frühstück – das ziemlich laut und lustig wurde – verschwanden die drei *Pygmäen* schnell wie die Feuerwehr. Die *Wilden Hühner* übernahmen großzügigerweise – damit die Jungs noch zu passenden Hosen kamen – den Abwasch. Mit der Hilfe von Sprottes Mutter beseitigten sie wenigstens die gröbsten Spuren, die die sieben Kinder in Oma Slättbergs

Haus hinterlassen hatten. Reichlich Arbeit war das – und so kamen die *Wilden Hühner* genau wie die *Pygmäen* erst kurz vor dem Klingeln auf den Schulhof gerast.

Die Jungs waren rot wie Kirschtomaten, als sie ihre Fahrräder neben die der Mädchen stellten.

»Geht ihr ruhig schon mal vor«, sagte Fred zu Sprotte und kaute nervös auf seiner Unterlippe herum. »Wir – ehm – wir kommen gleich nach.«

»Ja, genau!«, sagte Torte.

Steve guckte die beiden erstaunt an. »Wieso? Ich denk, wir haben gestern Abend Frieden geschlossen?«, rief er.

»Ja, sicher!«, sagte Fred verlegen. »Aber deshalb müssen wir doch nicht alles zusammen machen, oder?«

»Was?« Frieda schnappte nach Luft. »Gerade haben wir noch zusammen gefrühstückt und jetzt fangt ihr schon wieder an mit dem Quatsch?«

»Lass die Blödmänner doch«, sagte Sprotte. »Die haben bloß Angst, dass ihre Kumpels über sie lachen, wenn sie mit den dummen Mädchen in die Klasse marschiert kommen. Schon klar. Kommt, wir gehen.«

Verächtlich kehrten die vier den *Pygmäen* den Rücken und gingen auf die Treppe zu.

»Vielleicht sollten wir ihren Freunden mal erzählen, wie sie uns gestern in die Falle gegangen sind«, sagte Melanie über die Schulter. »Dann hätten sie wenigstens richtig was zu lachen!«

»Das könnt ihr doch nicht machen!«, rief Torte ihnen hinterher.

Aber die Mädchen liefen schon die Treppe rauf.

»Mensch, und ich reiß mir ein Bein aus für die gestern und verderb's mir fast mit meiner Mutter«, schimpfte Sprotte. »Ganz schön blöd von mir.«

»He, Sprotte, warte doch mal!«, rief Fred.

In der großen Pausenhalle holten sie die Mädchen ein.

»Sei doch nicht gleich beleidigt«, sagte Fred, während er versuchte mit Sprottes langen Beinen Schritt zu halten. »Ich hab das doch nicht so gemeint.«

»Hast du doch«, sagte Sprotte. »Und jetzt hast du bloß Angst, dass wir erzählen, was gestern los war.«

»Stimmt überhaupt nicht!«, rief Fred empört.

Sie standen vor ihrer Klasse, die Mädchen auf der einen, die Jungs auf der andern Seite.

»Stimmt wohl!«, fauchte Sprotte und machte die Klassentür auf. »Ich geh jetzt rein. Du kannst ja vorsichtshalber noch 'n paar Minuten hier stehen bleiben.«

»Genau!«, sagte Melanie. Dann verschwanden die *Wilden Hühner* in der Klasse. Gerade als Frau Rose den Flur runterkam.

»O Gott, was ist euch denn über die Leber gelaufen?«, fragte sie, als sie die düsteren Gesichter der Jungs sah.

»Hühner«, sagte Fred. »Jede Menge wilde Hühner.«

»Da ist schon wieder einer!«, flüsterte Frieda und schob Sprotte einen zusammengefalteten Zettel zu.

»Gib her«, brummte Sprotte.

»Willi ist immer noch nicht da«, flüsterte Frieda.

»Ist mir doch egal«, zischte Sprotte zurück und faltete den Zettel auseinander.

Frau Rose hatte Elisabeth, die Klassenbeste in Mathe, an die Tafel beordert. Frau Rose strahlte wie ein Honigkuchenpferd über so viel Mathe-Verstand. Und der Rest der Klasse hatte erst mal Ruhe.

»Lass doch auch mal sehen«, sagte Frieda und schielte über Sprottes Arm.

Zweites Friedensangeboht stand in Freds Krakelschrift oben auf dem Zettel. Da drunter waren drei Köpfe gemalt. Und darunter stand: *Was macht ihr am Wochenende? Wie wäre es mit einem Versöhnungsfest? Wir kaufen das Essen!! Erenwort!!!! Die Pygmäen*

»Ehrenwort ohne h. Au weia«, murmelte Frieda.

Sprotte war das natürlich nicht aufgefallen.

»Komm.« Frieda stieß sie an. »Wir schreiben zurück, ja?«

»Erst müssen wir uns mit den andern beiden absprechen«, flüsterte Sprotte. Elisabeth hatte schon die halbe Tafel mit ihren sauberen kleinen Zahlen gefüllt.

»Schick Melanie doch Freds Zettel und schreib drauf, dass sie nicken sollen, wenn sie einverstanden sind.«

»Hm, na gut!«, sagte Sprotte, kritzelte die Nachricht unter die der Jungs und klopfte Paula auf die Schulter, die vor ihr saß.

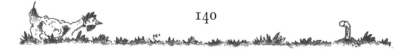

»An Melanie!«, zischte sie ihr ins Ohr. Paula nickte widerwillig und beförderte Sprottes Zettel weiter. Aber leider ging Elisabeth gerade in dem Moment auf ihren Platz zurück und Frau Rose ließ ihren Blick über die Klasse schweifen.

»Mist!«, flüsterte Frieda.

Frau Rose war die berüchtigste Zetteljägerin der ganzen Schule und dieser Zettel entging ihren Adleraugen natürlich auch nicht.

»Oh!«, sagte sie und spitzte ihren roten Mund. »Was ist da denn wieder unterwegs? Zeig doch bitte mal her, Paula!«

Zerknirscht reichte Paula ihr den Zettel.

»Ah, eine Einladung«, sagte Frau Rose. »Ich geb die Nachricht mal eben mündlich weiter, ja, Charlotte?«

»Okay«, murmelte Sprotte und guckte angestrengt auf ihren vollgekritzelten Tisch.

»Also, Melanie und Trude, ihr sollt nicken, wenn ihr einverstanden seid, mit den *Pygmäen* ein Versöhnungsfest am Wochenende zu feiern. Für Essen sorgen die Herren. Hm. Ein Versöhnungsfest«, Frau Rose spitzte die Lippen, »das ist die netteste Nachricht, die ich jemals abgefangen habe. Und die erfreulichste. Na, nun nickt schon, ihr beiden.«

Melanie und Trude grinsten – und nickten.

Die ganze Klasse kicherte.

Die drei *Pygmäen* aber saßen mit scharlachroten Köpfen da und wussten nicht, wo sie hingucken sollten.

Der Rest der Stunde verging ziemlich ereignislos, abgesehen
davon, dass Trude und Steve an die Tafel mussten. Aber
zehn Minuten vor der Pause klopfte es an der Tür und Willi
kam hereingeschlichen.

»Wie sieht der denn aus?«, flüsterte Frieda erschrocken.

»'tschuldigung, Frau Rose«, sagte Willi leise. »Aber mir
ging's heute Morgen nicht gut. Meine Mutter hat Ihnen eine
Entschuldigung geschrieben!« Mit gesenktem Kopf schob er
der Lehrerin einen Briefumschlag aufs Pult.

»Guck mich bitte mal an, Wilhelm«, sagte Frau Rose. »Was
ist denn mit deinem Gesicht passiert, hm?«

Willis linkes Auge war blau und geschwollen und sein Gesicht sah völlig verweint aus.

Fred wurde weiß wie die Wand Torte riss erschrocken die
Augen auf und Steves Unterlippe fing an zu zittern.

»Wilhelm!«, sagte Frau Rose. »Was ist mit deinem Gesicht
passiert? Antworte mir bitte.«

Willi setzte sich auf seinen Platz und verbarg sein Auge mit
der Hand. »Steht alles in dem Brief«, sagte er. »Ich bin vom
Fahrrad gefallen.«

»Vom Fahrrad gefallen, ach so.« Frau Rose nickte. »Kommst
du nach der Stunde bitte noch mal kurz zu mir, Willi? Ich
möchte etwas mit dir besprechen.«

In der Klasse war es totenstill.

»Wozu denn?«, fragte Willi. »Da gibt's nichts zu besprechen!« Seine Stimme klang aufgeregt. Die Hand hielt er

immer noch gegen das Auge gepresst. »Fragen Sie doch die andern! Ich musste gestern Abend ganz schnell nach Hause und da bin ich eben hingeflogen. Kann doch wohl mal passieren, oder?«

»Ja, natürlich, Willi«, sagte Frau Rose. Sie war ein bisschen blass um die Nase. »Und du brauchst dich auch nicht so aufzuregen. Ich möchte mich nachher nur mal kurz mit dir unterhalten. Das ist alles.«

»Aber ich will mich nicht unterhalten.« Willis Gesicht sah plötzlich richtig wütend aus.

»Na gut.« Frau Rose zuckte die Schultern. »Dann nicht.« Und leise, fast unhörbar, fügte sie hinzu: »Dann kann ich dir aber auch nicht helfen.«

»Mir braucht auch keiner zu helfen!«, sagte Willi laut.

»Also gut«, sagte Frau Rose und zog Sprottes und Freds Zettel aus der Jackentasche. »Hier. Das ist eine Einladung, die wohl auch für dich gilt. Du gehörst doch auch zu den *Pygmäen*, oder?«

Willi nickte überrascht und las den Zettel.

»Offenbar schlagt ihr euch wenigstens nicht mehr gegenseitig die Köpfe ein«, sagte Frau Rose, rückte ihre Brille zurecht und ging zu ihrem Pult zurück. »Das ist ein Trost. Allerdings nur ein kleiner.«

Das Versöhnungsfest sollte um drei Uhr nachmittags statt-
finden. Im Baumhaus der *Pygmäen*. Aber die *Wilden Hühner*
trafen sich schon am Morgen. Gleich nach dem Frühstück
gingen sie auf den Markt. Denn Sprotte wollte ein paar neue
Salat- und Kohlpflanzen kaufen, damit Oma Slättberg bei
ihrer Rückkehr nicht allzu viel zu meckern hatte.

»Mensch, ich weiß gar nicht, wie ich das alles bis Montag
schaffen soll«, stöhnte Sprotte, als sie mit voll gepackten Ein-
kaufskörben zum Haus ihrer Oma fuhren. »Auf den Beeten
wächst schon mehr Unkraut als Gemüse und das Haus muss
ich auch noch putzen. Ach ja, und das Obstbaumnetz. Das
ist total zerrissen und die Kleider muss ich noch waschen
und . . .«

»Das Rätsel des schwarzen Schlüssels müssen wir auch
noch lösen«, sagte Melanie. »Oder hast du das schon vergessen?«

»Nee, natürlich nicht, aber ich weiß wirklich nicht, wo wir
noch suchen sollen.«

»Weißt du was«, sagte Frieda, während sie in die kleine Straße einbogen, in der Oma Slättberg wohnte. »Viel-

leicht können die Jungs ja morgen zum Helfen kommen. Schließlich hast du doch irgendwie noch was gut bei ihnen. Beim Unkrautzupfen können sie ja nicht allzu viel falsch machen.«

»Nee, nee, das mach ich lieber selber«, sagte Sprotte. »Die können doch bestimmt den Salat nicht von den Brennnesseln unterscheiden.«

Trude kicherte. »Und vor Hühnern haben sie ja sowieso Angst.«

Lachend stellten sie ihre Fahrräder ab.

»Oje«, sagte Sprotte und sah sich um. »Das sieht ja schlimm aus.«

Das Obstbaumnetz lag immer noch auf dem Weg und Omas Blumenbeete am Wegrand sahen reichlich ramponiert aus.

»Puh«, seufzte Melanie. »Da weiß man wirklich nicht, wo man anfangen soll. Ich glaub, unsere Schatzsuche können wir endgültig vergessen.«

»He, guckt mal, wer da kommt!«, sagte Frieda plötzlich.

Fred, Torte und Steve kamen die Straße runtergeradelt, die Fahrräder beladen mit voll gestopften Einkaufstüten.

Sprotte runzelte die Stirn. »Was wollen die denn schon hier? Das hat uns gerade noch gefehlt.«

»Na?«, sagte Fred und hielt sein Fahrrad vor Oma Slättbergs Gartentor an. »Da seid ihr platt, was?«

»Allerdings«, knurrte Sprotte misstrauisch. »Was wollt ihr denn hier?«

»Fred hat gedacht, dass ihr ein bisschen Hilfe gebrauchen könnt«, sagte Torte.

»Beim Schatzsuchen oder was?«, fragte Sprotte.

»Quatsch, euren Schatz gibt's sowieso nicht«, sagte Fred spöttisch. »Aber deine Oma kommt doch Montag zurück und da . . .«

»Woher weißt du das denn schon wieder?«, fragte Sprotte.

»Na, Trude hat uns das erzählt«, sagte Steve.

»Ach!« Argwöhnisch sah Sprotte Trude an.

»Ich . . . ich . . . ich dachte, wir haben Frieden geschlossen«, stammelte sie verlegen.

»Na und? Deshalb müssen wir ihnen ja nicht gleich alles erzählen, oder?«

»Ach, komm schon, Sprotte«, sagte Melanie. »Stell dich nicht so an. Ist doch nett von ihnen, dass sie uns helfen wollen. Wo ist denn Willi?«

»Der kommt heute Nachmittag zum Baumhaus«, murmelte Fred.

Einen Moment sagte keiner was.

Dann öffnete Frieda das Gartentor.

»Kommt rein. Was habt ihr denn da alles mitgebracht?«

»Och, die Hälfte ist für heute Nachmittag«, sagte Torte und schleppte ein paar Tüten herein. »Hat unsere halbe Bandenkasse gekostet.«

»Das sind ja Salatpflanzen und so was«, stellte Trude erstaunt fest.

»Ja, die hat Fred bei seinem Opa ausgebuddelt«, sagte Steve. »Weil . . .«, er grinste verlegen, »weil wir hier ja wohl ein bisschen was zertrampelt haben.«

Fred stand da und guckte auf Oma Slättbergs Gemüsebeete. »Mann, die sehen aber schlimm aus«, stellte er fachmännisch fest. »Jede Menge Arbeit, würd ich sagen.«

»Wieso?«, fragte Sprotte. »Verstehst du etwa was davon?«

»Na klar, mein Opa hat auch so einen Garten. Aber keine Hühner. Zum Düngen holt er sich immer Mist von seinem Nachbarn.«

»Aha«, murmelte Sprotte. Sie guckte ziemlich erstaunt drein. »Und was ist mit den andern beiden?«

»Die solltest du besser das Haus putzen lassen«, sagte Fred. »Die können einen Kohlkopf nicht von Löwenzahn unterscheiden.«

»Okay!« Sprotte nickte. »Vielleicht können sie ja auch helfen das Netz zu flicken.«

»Klar«, sagte Torte. »Das mach ich. Hauptsache, ich muss nicht putzen.«

»Das macht mir gar nichts«, sagte Steve.

»Na, dann komm mal mit!«, sagte Melanie. »Dann nehmen wir beide uns jetzt das Haus vor.«

»Ich mach mit!«, rief Trude und lief hinter den zweien her. Frieda und Torte verschwanden mit dem zerrissenen Netz im Gartenschuppen. Und Sprotte und Fred blieben allein im Garten zurück.

»Na, dann«, sagte Sprotte und rieb sich verlegen die Nase.
»Wie viel Pflanzen hast du denn mitgebracht?«

»Fünfzehn«, sagte Fred. »Fünfmal Weißkohl, fünfmal Kopfsalat und fünfmal Eisberg.«

»Zeig mal her.«

Stolz holte Fred zwei Tüten von seinem Fahrrad und legte die kleinen Pflanzen vor Sprotte auf die Erde.

»Schön kräftig«, sagte Sprotte anerkennend.

Fred wurde rot. »Hab ich selbst gesät«, sagte er. »Kohl ist verflixt schwierig.«

»Stimmt«, sagte Sprotte. »Letztes Jahr hatte Oma lauter Maden in den Wurzeln. Ekelhaft.«

»Hatte ich auch schon mal«, sagte Fred. »Aber dieses Jahr sind sie prima.«

»Weißt du was«, sagte Sprotte und holte ihren Einkaufskorb.
»Gegen deine sind die vom Markt richtig mickrig. Die geben wir einfach den Hühnern.«

»Ist gut«, sagte Fred. Und gemeinsam liefen sie zum Hühnerauslauf und warfen die Pflänzchen hinein. Die Hennen stürzten sich laut gackernd auf das frische Grün.

»Guck dir das an.« Fred kicherte. »Die prügeln sich richtig um die Dinger.«

»Ja, Hühner sind nicht besonders nett zueinander«, sagte Sprotte. »Aber komisch sind sie trotzdem.«

»Stimmt!« Fred lachte. »Wie die rennen. Das sieht wirklich zu blöde aus.«

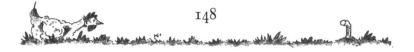

148

»Wenn ich mal ganz schlechte Laune hab«, sagte Sprotte, »dann guck ich mir einfach die Hühner an. Da muss man einfach lachen.«

»Mein Opa will leider keine«, sagte Fred. »Ziehen die Ratten an, sagt er.«

»Stimmt wohl auch«, sagte Sprotte. »Manchmal glaub ich, meine Oma hat sich die Hühner nur angeschafft, um den blöden Feistkorn zu ärgern.« Zusammen gingen sie zur Regentonne und füllten zwei große Gießkannen mit dem trüben Wasser.

»Ist das der, der die Polizei gerufen hat?«, fragte Fred. Sorgfältig legten sie die jungen Pflänzchen da auf die Beete, wo die Hühner alles weggefressen hatten oder Steve und Torte drübergetrampelt waren.

»Hm!« Sprotte nickte. »Das ist ein richtiges Ekelpaket.«

»Hat er einen dicken roten Kopf?«, fragte Fred leise.

»Allerdings, wieso?« Vorsichtig hob Sprotte mit einer kleinen Schaufel die Pflanzlöcher aus.

»Na, so ein Kopf guckt gerade über die Hecke.«

Sprotte sah hoch. »Morgen, Herr Feistkorn!«, rief sie. »War die Polizei schon bei Ihnen?«

»Wieso?« Herr Feistkorn kniff ärgerlich die kleinen Augen zusammen.

»Wegen falscher Anzeige«, sagte Sprotte. »Und wegen Beamtenbelästigung. So haben die das, glaube ich, genannt. Stimmt's, Fred?«

Fred nickte. »Stimmt. Das haben sie gesagt.«

Mit dem ernstesten Gesicht der Welt goss er Regenwasser in die Pflanzlöcher und setzte seine Kohlpflänzchen in Oma Slättbergs schwarze Erde.

»Unverschämte Bälger!«, schnauzte Herr Feistkorn und sein Kopf verschwand wieder hinter der Hecke.

»Hat dein Opa auch so ekelige Nachbarn?«, fragte Sprotte.

»Nee, zum Glück nicht«, sagte Fred und pflanzte die Salatpflänzchen gerade so tief ein, dass ihre runden grünen Bäuche ganz locker auf der Erde saßen.

»Mann, du verstehst wirklich was davon«, sagte Sprotte bewundernd. »Den Salat hab ich erst immer zu tief eingepflanzt.«

Fred grinste verlegen. »Hat bei mir auch 'ne Weile gedauert, aber ich helf meinem Opa fast jedes Wochenende, seit meine Oma gestorben ist.«

»Mein Opa ist schon unheimlich lange tot«, sagte Sprotte. »Meine Oma spricht nie über ihn, nicht mal ein Foto hat sie von ihm.«

»Und dein anderer Opa?«, fragte Fred und klopfte sich die Erde von den Händen.

»Einen andern hab ich nicht«, sagte Sprotte und kniff die Lippen zusammen.

»Wir brauchen noch mehr Wasser«, sagte Fred hastig. »Die Salate dahinten lassen die Blätter hängen.«

»Ich hab Tee gemacht!«, rief Melanie aus dem Küchenfens-

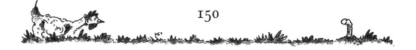

ter. »Supervornehmen Rosenblättertee. Alles reinkommen!«

Sprotte stand auf. »Okay, dann sag ich mal Frieda und Torte Bescheid.«

»Ich pflanz die beiden da noch ein«, sagte Fred, »dann komm ich auch. Machst du die Kanne noch mal voll?«

Sprotte nickte, nahm die leere Gießkanne und ging zur Regentonne. Das Wasser glitzerte in der Sonne. Eine Biene war hineingefallen und zappelte um ihr Leben. Vorsichtig fischte Sprotte sie mit einem Blatt heraus. »Na, da hast du ja noch mal Glück gehabt«, murmelte sie, füllte ihre Kanne und lief zum Schuppen. Als sie näher kam, hörte sie lautes Gekicher.

»Kennst du den?«, hörte sie Torte sagen. »Kommt ein Marsmensch zum Flughafen . . .«

Sprotte öffnete die klapprige Tür. »He, ihr beiden, es gibt Tee«, sagte sie.

Torte und Frieda saßen auf Holzkisten und hatten das kaputte Netz auf dem Schoß.

»Wir kommen«, sagte Torte. »Meine Seite ist sowieso schon fast fertig.«

Frieda schüttelte kichernd den Kopf. »Meine nicht, weil er dauernd blöde Witze erzählt. Mir tut schon alles weh vor Lachen.«

Oma Slättbergs Küche war für ihre Rückkehr bereit. Melanie hatte die Fenster geputzt und Steve die Fußböden gewischt. Reingelassen wurde nur noch, wer auf Socken kam. Die Schuhe blieben säuberlich aufgereiht vor der Haustür. Dadurch roch es in der Küche zwar mehr nach Käsefüßen als nach Rosenblüten, behauptete Fred, aber Oma Slättbergs Fußboden blieb sauber.

Sonderlich begeistert waren die Jungs von Oma Slättbergs Rosenblütentee nicht. Schon nach ein paar Schlucken holten sie eine riesige Colaflasche aus ihren Einkaufstüten. Als Trude sie sehnsüchtig anstarrte, kriegte sie auch ein Glas ab.

»Oben müsst ihr nicht sauber machen«, sagte Sprotte zu Melanie und rührte sich Honig in den Tee. »Das mach ich morgen schon.«

»Wie viele Zimmer hat das Haus denn eigentlich?«, fragte Torte. »Von außen sieht es ziemlich klein aus.«

»Ist auch klein«, sagte Melanie. »Das Beste ist der Dachboden.«

»Habt ihr da schon nach dem Schatz gesucht?«, fragte Fred.

»Na klar!« Sprotte schob ihren Stuhl gegen den Küchen-

schrank und stieg hinauf. »Hier oben hat Oma immer noch Kekse versteckt. Na bitte, da steht ja noch eine Dose. Scheint sogar voll zu sein.«

»Kriegst du keinen Ärger, wenn wir die auch noch leer essen?«, fragte Frieda besorgt.

Sprotte zuckte die Achseln. »Den krieg ich sowieso!«, sagte sie und stellte die Dose auf den Tisch. »Über irgendwas meckert Oma immer und so hat sie wenigstens einen Grund. Außerdem hab ich beim Backen geholfen.«

»Hmmm!«, machte Melanie, als Sprotte den Deckel abnahm. »Mandelkekse.«

»Iiiigitt!«, schrie Steve und sprang wie von der Tarantel gestochen auf. »'ne Spinne! Eine riesengroße Spinne!«

»Wo denn?«, rief Sprotte.

»Auf meinem Schoß!«, kreischte Steve. »Auf meinem Schoß ist sie gelandet! Igitt! Da! Jetzt sitzt sie auf meinem Ärmel!« Wie wild schlug er mit seinem Arm um sich – und fegte die Teekanne vom Tisch. Der heiße Tee spritzte durch die Küche. Sprotte konnte noch gerade rechtzeitig zur Seite springen, aber Melanie kriegte einen ordentlichen Spritzer ab, bevor die Kanne unter dem Tisch landete und sich der Inhalt über den Teppich ergoss.

»Oh, verdammt!«, rief Melanie, rannte schnell zum Wasserhahn und ließ sich das eiskalte Wasser über den Arm laufen.

»Tut mir Leid!«, jammerte Steve. »Aber sie hat sich einfach von oben runtergelassen! Einfach so.«

»Na, und wo ist sie jetzt?«, fragte Sprotte und sah sich die Bescherung unterm Tisch an.

»Weiß ich nicht!«, sagte Steve.

»Ist ja auch egal, hier gibt's sowieso jede Menge Spinnen!«, murmelte Sprotte, fischte die Kanne aus dem Tee und stellte sie zurück auf den Tisch.

Entsetzt sah Steve sich um. »Jede Menge?«, stotterte er.

»Der Teppich ist klitschnass!«, stellte Sprotte fest. »Gebt mir mal einen Lappen. Schnell!«

»Hier«, sagte Melanie. »Aber du musst doll reiben, Teeflecken sind fies.«

»Weiß ich!«, murmelte Sprotte unterm Tisch. »So ein Mist. Und es war alles schon so schön sauber.«

»Am besten hängen wir den Teppich in die Sonne, wenn du ihn abgewischt hast«, sagte Frieda. »Kommt«, sie stieß die Jungen an, »helft mal die Stühle und den Tisch zur Seite stellen.«

»Mann, die Arbeit nimmt kein Ende!«, stöhnte Torte, während er mit Fred den Tisch verrückte.

»So, das reicht«, sagte Sprotte. »Hilft mir mal jemand das Ding zusammenzurollen?«

Melanie kniete sich neben sie.

»Guck dir das an!«, rief Melanie. Unter dem zurückgeschlagenen Teppich kam eine Luke zum Vorschein. Eine Luke in Oma Slättbergs Küchenboden.

»Sieht aus wie eine Falltür oder so was«, sagte Fred.

Aufgeregt schlugen sie den Teppich noch weiter zurück.

»Der Schatz!«, flüsterte Trude. »Wir haben ihn doch noch gefunden.«

»Na, wart's doch erst mal ab«, sagte Melanie. »Wer weiß, was da unten ist.« Aber sie war plötzlich auch sehr blass um die Nase.

Mit vereinten Kräften stemmten Fred und Sprotte den schweren Holzdeckel hoch. Ein pechschwarzes Loch gähnte ihnen entgegen. Schmal und wacklig führte eine Leiter hinab in die Finsternis. Wie graue Watte lag der Staub auf ihren Sprossenstufen.

»Das ist es! Bestimmt, ganz bestimmt!« kiekste Steve und kippte vor Aufregung fast vornüber in das Kellerloch. Fred packte ihn gerade noch am Gürtel.

»Mensch, pass doch auf!«, schimpfte er. »Willst du dir deinen dicken Hals brechen?«

»Puh«, Torte beugte sich über Sprottes Schulter. »Da unten wimmelt's bestimmt von Ratten.«

Erschrocken sahen Trude und Steve ihn an.

»Ach, Quatsch!«, sagte Sprotte spöttisch. »Die würden doch verhungern da unten.«

Torte schüttelte den Kopf. »Ratten verhungern nie. Die finden immer was. Und wenn sie sich gegenseitig auffressen.«

Melanie verzog angeekelt das Gesicht. Die anderen starrten besorgt in die Dunkelheit hinab.

»Na, ihr könnt ja hier oben bleiben«, sagte Sprotte. »Ich ruf euch dann, wenn ich den Schatz gefunden habe.« Und schon setzte sie ihre Füße auf die Leiter.

»Warte doch!« Melanie hielt sie am Arm fest. »Was willst du denn ohne Taschenlampe da unten finden?« Fragend sah sie die andern an. »Hat jemand eine dabei?«

Allgemeines Kopfschütteln.

»Oma hat eine, da in der Schublade.« Ungeduldig zeigte Sprotte auf den Küchenschrank. Fred sprang auf und holte sie.

»Na, dann kann's ja endlich losgehen.« Sprotte riss ihren Arm los, drehte sich um und verschwand in der Tiefe. Fred leuchtete ihr, bis sie unten war, und folgte ihr dann. Als Nächste stieg Melanie hinab, dann Torte.

»Ist da unten überhaupt noch Platz?«, rief Steve die Leiter runter.

»Soll das ein Witz sein?«, rief Torte zurück.

Steve sah Frieda an und grinste verlegen.

»Na dann«, sagte er und auch die beiden kletterten hinab in Oma Slättbergs verborgenen Keller.

Ratten waren keine da. Nur Spinnweben, so groß wie Handtücher – und eine Truhe, die zwischen zwei uralten, halb verschimmelten Koffern in einer Ecke stand.

»O Gott, mein Herz bleibt stehen!«, flüsterte Trude. »Der Schatz.«

»Mann!«, stöhnte Steve. »Ein echter, richtiger Schatz.«

»Gold«, flüsterte Torte. »Silber, Diamanten.«

»Aber glaubt nicht, dass ihr was abkriegt!«, sagte Melanie. »Das ist unser Schatz, klar?«

»Wieso?«, fragte Torte ärgerlich. »Wenn Steve die Kanne nicht umgekippt hätte, hättet ihr die Luke doch nie gefunden.«

»Halt den Mund, Torte«, sagte Fred. »Der Schatz gehört den Mädchen.«

Schmollend kniff Torte die Lippen zusammen.

Vorsichtig schlichen die sieben Kinder auf die Truhe zu – als erwarteten sie, dass plötzlich ein Gespenst hinter ihr hervorschwabbelte oder eine Bande wild gewordener Fledermäuse sich auf sie stürzte. Aber nichts passierte.

Die Truhe musste schon sehr, sehr lange da stehen. Der dicke Staub auf ihrem Deckel sah aus wie schmutziger Schnee.

Sprotte zog den Schlüsselbund, der immer noch voll Schlamm war, aus der Tasche und suchte den schwarzen Schlüssel heraus. Sorgfältig rieb sie die getrocknete Erde von seinen Zähnen, während die andern ungeduldig auf ihren Lippen oder Fingernägeln herumkauten.

»Und wenn eine Leiche in der Truhe ist?«, fragte Steve nervös.

»Quatsch, du alter Angsthase!« Torte kicherte. »Die würdest du garantiert riechen. Aber vielleicht schläft ja ein

Vampir da drin und – aaaaaaaarrrghh! –«, er packte den armen Steve an der Kehle, »beißt uns alle, wenn wir den Deckel aufmachen.«

»Laß los!«, krächzte Steve.

»Hör auf mit dem Quatsch«, sagte Fred ärgerlich.

Sprotte kniete sich vor die Truhe und steckte den schwarzen Schlüssel in das Schloss. Ein bisschen rostig war es. Fred, Trude und Torte richteten ihre Taschenlampen auf den Truhendeckel.

»Der Schlüssel passt!«, flüsterte Sprotte. Die andern drängten sich so dicht um sie herum, dass sie kaum noch ihren Arm bewegen konnte.

»He, ich krieg ja keine Luft mehr!«, sagte sie. »Geht mal einen Schritt zurück.«

Widerstrebend gehorchten die andern.

Als Sprotte den schwarzen Schlüssel herumdrehte, knackte das Schloss und schnappte auf. Vorsichtig hob Sprotte den schweren Deckel. Hastig richtete Fred die Taschenlampe auf das Innere der Truhe.

Zwei Leute schauten sie an. Ein Foto. Ein großes Hochzeitsfoto in einem angelaufenen Rahmen. Das Paar war noch sehr jung. Der Bräutigam hatte einen blonden Schnurrbart mit einem ernsten kleinen Mund darunter. Und er trug eine Uniform. Die Frau lächelte. Die beiden sahen die Kinder an, als hätten sie darauf gewartet, dass die Truhe sich endlich wieder öffnete.

»Oh, Mann. Von wegen Schatz«, sagte Torte enttäuscht. »Nicht mal ein Vampir. Nur ein blödes Foto.«

Die andern sagten gar nichts. Die Leute auf dem Foto sahen sie an. Sprotte nahm das Bild vorsichtig heraus. »Das ist meine Oma!«, murmelte sie.

»Und dein Opa, schätze ich!«, sagte Fred.

Sprotte fuhr mit dem Finger über die Gesichter. »Ich hab noch nie ein Foto von ihm gesehen«, sagte Sprotte leise. »Er sieht aus wie meine Mutter.«

Sie legte das Foto auf ihren Schoß und beugte sich über die offene Truhe.

»Ein Hochzeitskleid«, sagte sie tonlos und strich über den knisternden Stoff. Ganz steif fühlte er sich an. »Und Anzüge und Strümpfe und Hemden. Sogar Schuhe sind da. Und«, sie hob einen der Anzüge an, ein paar Mottenkugeln rollten heraus, »da drunter sind Briefe. Mit bunten Bändern zusammengebunden.«

»Liebesbriefe«, flüsterte Melanie.

»Oi, lass mal sehen«, sagte Torte und streckte die Hand nach den blassgelben Umschlägen aus.

»Finger weg!« Wütend stieß Sprotte seine Hand zur Seite. »Die gehen dich überhaupt nichts an.«

»Au«, maulte Torte. »Stell dich doch nicht so an.«

»Lass sie in Ruhe!«, zischte Melanie. »Blöder Kerl.«

Die andern wichen verlegen zurück.

Sprotte aber stand auf, legte das Foto zurück und machte den

159

Truhendeckel zu. Dann steckte sie den schwarzen Schlüssel in das Schloss und ließ es wieder einrasten.

»Kommt«, sagte sie. »Wir gehen wieder nach oben.«

»Willst du nicht noch in die Koffer gucken?«, fragte Trude vorsichtig.

Sprotte schüttelte den Kopf und ging zurück zur Leiter. »Das geht uns nichts an«, sagte sie.

Sprotte fühlte sich komisch, seit sie die Truhe geöffnet hatte. Und das Gefühl verschwand auch nicht, als Oma Slättbergs Geheimnis wieder unter dem Küchenteppich verborgen war. Kaum ein Wort kriegte sie raus. Ihr Kopf war voll von wirren Gedanken über das Hochzeitspaar auf dem Foto. Sie schämte sich. Sie schämte sich für die beiden, dass so viele fremde Augen sie angestarrt hatten. Ganz verrückt machte sie das. Dauernd sah sie die fremde junge Frau vor sich, aus der auf rätselhafte Weise Oma Slättberg geworden war.

Die andern merkten, was mit ihr los war. Kein Wort mehr verloren sie über den vermeintlichen Schatz. Nicht mal Torte. Sie räumten den Tisch ab, wuschen das Geschirr – und ließen die schweigende Sprotte am Küchentisch in Ruhe. Die Jungs verschwanden bald, um alles für die Feier vorzubereiten. »Denn feiern tun wir doch, oder?«, fragte Fred. »Auch ohne Schatz.«

»Ja, klar«, sagte Melanie und alle sahen Sprotte an.

»Ja, klar«, murmelte sie.

Dann fuhren Melanie und Trude zum Mittagessen nach Hause und Frieda und Sprotte waren allein.

»Willst du nicht zu Hause essen?«, fragte Sprotte.

Frieda schüttelte den Kopf. »Wenn du nichts dagegen hast, bleib ich hier.«

»Okay«, sagte Sprotte. »Ich wär jetzt sowieso nicht gern allein.« Nachdenklich sah sie Frieda an. »Weißt du, auf dem Foto sieht sie so anders aus, irgendwie . . .« Sprotte zuckte die Schultern.

»Nett«, sagte Frieda. »Sehr nett sieht sie aus. Überhaupt nicht verbiestert.«

»Ja.« Sprotte nickte und stand auf. »Komm, wir holen Eier und Kartoffeln und machen uns was zu essen.«

Gemeinsam liefen sie durch den Garten zum Hühnerstall. Dank Freds Pflanzen sahen die Beete wieder richtig gut aus.

»Meinst du, wir werden auch mal so wie meine Oma?«, fragte Sprotte, als sie sich vier Eier aus den Nestern holten. Die Hennen kamen gackernd aus dem Auslauf herein und bettelten um Futter.

Frieda zuckte die Achseln und strich einer Henne über die Flügel. Sonderbar hart fühlten die sich an.

»Na, ich hoffe nicht!«, seufzte Sprotte und dann machten sie sich in Oma Slättbergs Küche Bratkartoffeln mit Spiegeleiern und frischem Schnittlauch.

Als Sprotte und Frieda zum Baumhaus der *Pygmäen* kamen, waren Melanie und Trude schon da. Friedlich baumelten ihre Beine neben denen der Jungs. Laute Radiomusik dröhnte durch den Wald.

»He!«, rief Sprotte, als sie und Frieda die wackelige Leiter hochkletterten. »Wird das nicht 'n bisschen eng da oben, wenn wir auch noch dazukommen?«

Am Leiterende erschien Fred, in der einen Hand eine riesige Chipstüte, in der andern eine Cola. »Quatsch«, sagte er. »Oder glaubst du, wir haben unser Hauptquartier kleiner als deinen Hühnerstall gebaut?«

»Ganz schön hoch!«, stellte Sprotte fest, als sie oben stand. Ihr wurde ein bisschen schwindelig, als sie runterguckte. Vorsichtshalber machte sie erst mal einen Schritt zurück und setzte sich auf die Bank, die die Jungs um den Baumstamm herumgezimmert hatten. Wie die andern da so einfach am Rand sitzen und mit den Beinen baumeln konnten, war ihr schleierhaft. Zum Glück ging es Frieda nicht besser und sie setzte sich neben sie.

»Wollt ihr nicht mal die tolle Aussicht genießen?«, fragte Melanie und drehte sich zu ihnen um. »Ich mach gern Platz.«

»Nein, danke«, sagte Sprotte, Frieda schüttelte den Kopf.

»Haha, den beiden ist schwindelig, wetten?« Torte schüttelte sich vor Lachen.

»Na ja, Hühner haben ja auch auf Bäumen eigentlich nichts zu suchen!«, kiekste Steve.

»Hört schon auf!«, brummte Fred und hielt Sprotte seine Chipstüte unter die Nase.

»Nee, danke!«, sagte Sprotte.

»Willst du Schokolade?«, fragte Fred. »Oder Gummikrokodile? Haben wir auch. Die schmecken total pervers. Vor allem die roten!«

Sprotte schüttelte nur den Kopf. »Nee, wirklich. Vielleicht später.« O Gott, war ihr schlecht.

»Ich hätte gerne so 'n Gummikrokodil«, sagte Frieda.

»Klar!«, sagte Fred. »Klar, kommt sofort. He, Steve, gib mal die Tüte mit den Krokodilen rüber. Oder hast du die schon alle aufgefressen?«

»Blödsinn!«, sagte Steve und reichte eine große Papiertüte voller glibbriger Weingummikrokodile herüber.

»He, Fred, vielleicht hätten wir besser 'n paar Tüten Hühnerfutter besorgt«, sagte Torte und schüttelte sich vor Lachen.

»Ja, und wir haben leider die Erdnüsse und Bananen vergessen, du Affe«, sagte Sprotte. Sie vermied krampfhaft, über den Rand der Plattform zu gucken, und sah sich stattdessen im Innern des Baumhauses um.

»Na, wie gefällt dir unser Hauptquartier?«, fragte Fred. »Ist doch toll, was?«

»Hm.« Sprotte nickte. »Nicht schlecht. Wo habt ihr denn die ganzen Sachen her?«

»Na, vom Schrottplatz natürlich«, sagte Fred und goss ihr

und Frieda zwei Pappbecher voll Cola. »Da liegt echt alles rum. Teppiche, Bretter, sogar das Radio haben wir da gefunden. Mussten nur neue Batterien rein.«

»Musst du denen das unbedingt auf die Nase binden?«, knurrte Willi, ohne Fred anzusehen. »Der Schrottplatz ist unser Gebiet.«

»Keine Sorge, wir haben unsere eigenen Quellen«, sagte Sprotte schnippisch. Die Cola tat ihrem Magen gut. Und solange man nicht runtersah, konnte man es hier oben wirklich aushalten.

»So ein Hauptquartier sollten wir uns auch bauen«, sagte Melanie und stand auf.

»O ja«, sagte Trude. »Das machen wir. Aber wo?«

»Das sollten wir wohl nicht gerade hier besprechen«, sagte Sprotte. »Ich glaub, jetzt will ich doch so ein Krokodil.«

Fred warf ihr eins von den klebrigen Dingern in den Schoß.

»Wieso, ich denk, wir haben Frieden geschlossen?«, sagte Steve.

»Lass sie doch«, brummte Willi, ging ans Radio und kurbelte daran herum. »Das kriegen wir sowieso bald raus.«

Torte kicherte. »Stimmt.«

»Na, das werden wir ja sehen«, sagte Sprotte.

Melanie stellte sich vor Fred und hielt ihm ihren Pappbecher hin. »Kann ich noch 'ne Cola haben?«

»Äh, was? Ja, sicher.« Fred bekam rote Ohren und schenkte ihr ein. Dann drehte er sich um und brüllte: »Hey, Willi,

dreh das Radio wieder leiser, klar? Sonst brauchen wir bald
alle 'n Hörgerät.«

Willi warf ihm einen finsteren Frankenstein-Blick zu, aber er
drehte die Musik leiser. Torte kippte in eine geblümte Plas-
tikschüssel Popcorn und stellte sie den Mädchen hin. Dann
setzte er sich neben Frieda und schlürfte seine Cola.

»Was ist denn mit Willi los?«, flüsterte Frieda ihm ins
Ohr. »Ist es wegen seinem . . .?« Sie zeigte unauffällig auf ihr
Auge.

Torte schüttelte den Kopf. »Nee, ihm stinkt's, dass hier oben
Mädchen sind«, flüsterte er zurück. »Stimmt doch, Willi«,
sagte er laut. »Oder? Eigentlich haben wir Mädchenverbot
hier oben.«

»Stimmt«, sagte Willi, runzelte die Stirn und starrte auf den
Tümpel runter.

Steve kicherte und holte seine Karten aus der Hosentasche.

»Können wir nicht 'ne andere Musik machen?«, fragte Melanie. »Die hämmert einem ja das Gehirn zu Brei.«

»Au ja, Mädchenschnulzmusik«, knurrte Willi. »Ich glaub,
ich geh wohl besser.«

»Nee, wir gehen«, sagte Torte und drehte am Radio rum.
»Und zwar tanzen.«

»Tanzen? Hier oben?« Melanie kicherte – und fing sich von
Sprotte einen entnervten Blick ein.

»Quatsch, unten natürlich«, sagte Torte. »Wie ist es? Wer
kommt mit?«

Ein paar Minuten später hopsten sich Torte, Melanie, Steve und Frieda am schlammigen Tümpelufer die Seele aus dem Leib. Trude saß oben neben dem grimmig vor sich hin schweigenden Willi und sah ihnen sehnsüchtig zu und Sprotte – Sprotte ließ sich von Fred genau erklären, wie die *Pygmäen* das Baumhaus gebaut hatten.

Es wurde noch eine sehr lange Feier. Irgendwann fasste Trude sich ein Herz und hüpfte mit den anderen herum, Sprotte aß mit Fred zwei Tüten Chips leer – und Willi blieb, bis alle andern nach Hause mussten.

Sprotte hasste Sonntage. Sie konnte sich beim besten Willen nicht vorstellen, was andere daran so toll fanden.

Vielleicht lag es daran, dass ihre Mutter sonntags fast nie frei hatte und Oma Slättberg an diesem Tag immer besonders schlechte Laune hatte. Mit Frieda konnte Sprotte sich auch nicht treffen, weil die sonntags immer Verwandtenbesuch bekam. Nein. Sonntage waren einfach nicht zum Aushalten. An dem Sonntag vor Oma Slättbergs Rückkehr ging es Sprotte besonders schlecht.

Ihre Mutter war schon sehr früh zur Arbeit gefahren. Sie hatten es nicht mal geschafft, zusammen zu frühstücken. Frieda passte zum ersten Mal wieder auf Luki auf und Melanie und Trude durften sonntags sowieso nicht weg.

Also fuhr Sprotte zum Haus ihrer Oma, um die Hühner zu füttern und auch die letzten Spuren der *Wilden Hühner* und *Pygmäen* zu beseitigen.

Das Versöhnungsfest mit den Jungs war sehr nett gewesen. Doch, wirklich nett. Die Erinnerung machte diesen einsamen Sonntag nur noch scheußlicher. Sogar über Freds Gesellschaft würde ich mich jetzt freuen, dach-

te Sprotte, als sie ihr Fahrrad durch Omas Gartentor schob.

Sie fütterte die Hühner, steckte ihre Nase in Isoldes weiche Federn und beschloss, ihrer Oma zum Willkommen ein paar Blumen auf den Küchentisch zu stellen. Als sie sie abschnitt, bemerkte sie Herrn Feistkorns Kopf über der Hecke, aber sie beachtete ihn einfach nicht. Mit dem hatte sie nun wirklich keine Lust zu reden. So einsam konnte man sich gar nicht fühlen.

Sprotte schloss Omas drei Sicherheitsschlösser auf und ging ins Haus. Aus dem Küchenschrank holte sie eine frische Tischdecke und eine passende Blumenvase. Oma Slättberg würde bestimmt wieder nur die Stirn runzeln, wenn sie den Strauß sah, aber freuen würde sie sich trotzdem.

Was noch? Sprotte sah sich um. Die Kekse. Natürlich. Sie konnte wenigstens versuchen, die Dosen wieder aufzufüllen. Schließlich hatte sie beim Backen oft genug geholfen.

Zwei Stunden später waren sie und der Fußboden mit Mehl bestäubt, ihr rechter Daumen angesengt und ein Blech Kekse fertig. Enttäuscht betrachtete Sprotte ihr Werk. Nein, die sahen Omas Keksen nicht besonders ähnlich. Na, egal.

Seufzend füllte sie die verunglückten Dinger in die leer gegessenen Dosen.

»Sprotte?«

Sie zuckte zusammen und fuhr herum.

In der Küchentür stand Frieda mit Luki auf dem Arm.

»Na?«, sagte sie grinsend. »Hast du Kekse gebacken? Zeig doch mal her.«

»Was machst du denn hier?«, fragte Sprotte. »Ich hab mich vielleicht erschrocken. Ich dachte schon, meine Oma ist früher zurückgekommen.«

Frieda kicherte. »Bei uns zu Hause ist Mittagsschlaf angesagt. Da hab ich mir Luki geschnappt und bin spazieren gegangen. Dachte mir, dass du hier bist.« Sie gab Luki einen warmen Keks in die Hand. »Die sehen aber nicht so aus wie die von deiner Oma.«

»Weiß ich«, sagte Sprotte, zuckte die Achseln und warf den Rest in die Dosen. »Mir ist ganz schlecht, wenn ich dran denke, dass Oma morgen schon zurückkommt.«

»He, guck mal«, sagte Frieda und sah aus dem Küchenfenster. »Da kommt Melanie. Wie hat die es denn geschafft, am Sonntag von zu Hause wegzukommen?«

Sprotte grinste. »Na, das ist ja 'n Ding«, murmelte sie. Plötzlich fühlte sie sich wie Weihnachten.

»Puh, ein Glück!«, sagte Melanie, als sie in die Küche kam. »Ich hab schon befürchtet, hier ist niemand. Aber die *Wilden Hühner* sind ja beinahe komplett, was?«

»Stimmt«, sagte Sprotte und grinste von einem Ohr zum andern. »Fehlt nur noch Trude.«

Melanie schüttelte den Kopf und ließ sich aufs Küchensofa plumpsen. »Ich hab versucht sie loszueisen, aber sie war gar nicht zu Hause.«

»Und wie bist du weggekommen?«, fragte Frieda neugierig und setzte sich mit Luki neben sie. Sprotte wischte rasch das Mehl vom Fußboden und vom Schrank, stellte die Backsachen weg und setzte sich auch an den Tisch.

»O Gott!« Melanie stöhnte und verdrehte die Augen. »Ihr könnt euch nicht vorstellen, was bei uns heute los ist. Die halbe Verwandtschaft hockt bei uns auf dem Sofa. Zwei Tanten, drei Onkel und jede Menge eklige Cousins. Zum Glück sind die Jungs irgendwann zum Fußballspielen nach draußen und da bin ich einfach mit raus und hab mich abgesetzt. Ich kann nicht allzu lange bleiben, aber immerhin, oder?«

»Immerhin!«, sagte Frieda und lachte. Luki quietschte entzückt und griff nach Melanies Hühnerfeder.

»Na, die gefällt dir, was?«, sagte Melanie und kitzelte die dicke, kleine Hand.

»Wie wär's«, sagte Sprotte aufgeregt, »wie wär's, wenn ich euch die Stelle zeige, wo wir unser Hauptquartier hinbauen könnten?«

»Na, toll!«, sagte Melanie begeistert. »Ist es weit von hier?«

Sprotte schüttelte den Kopf. »Nee, nur 'n paar Minuten.«

»Na, dann los«, sagte Frieda – und erstarrte.

»Was ist?«, fragte Sprotte beunruhigt.

»Ich hab das Gartentor gehört«, sagte Frieda.

»Also, Trude kann's nicht sein«, flüsterte Melanie.

Sprotte wurde so weiß wie das Mehl, das immer noch an ihrem T-Shirt klebte.

»Oma!«, flüsterte sie.

Und da stand sie auch schon in der Küchentür. Oma Slättberg. Klein und hager, mit schmalen Lippen und einem merkwürdigen kleinen Hut auf dem Kopf. Einen Augenblick lang verschlug der Anblick der drei Mädchen ihr die Sprache. Aber der Augenblick dauerte nicht lange. Mit einem Rums stellte sie ihre schwere Reisetasche ab.

»Was hat das zu bedeuten, Charlotte?« Sie war etwas außer Atem.

Wie ein hypnotisiertes Kaninchen starrte Sprotte ihre Oma an. Sie machte den Mund auf, aber es kam kein Ton heraus.

»Guten Tag, Frau Slättberg!«, sagte Melanie. »Wir – äh – wir sind Freundinnen von Sprotte.«

»Das dachte ich mir!«, sagte Oma Slättberg barsch. »Was hast du denn da um den Hals baumeln? Eine Hühnerfeder? Ist das jetzt die neueste Mode?«

Das verschlug auch Melanie die Sprache. Sie bekam rote Flecken im Gesicht und verstummte.

»Oma, wir . . .«, begann Sprotte.

»Wie oft habe ich dir gesagt, ich will keine Fremden in meinem Haus?«, herrschte ihre Oma sie an.

Sprotte wurde erst rot und dann weiß und starrte sprachlos auf den Fußboden.

Da stand Frieda auf. Sie drückte Luki an sich, um sich etwas Mut zu machen, und ging auf Oma Slättberg zu.

»Aber wir sind doch keine Fremden«, sagte sie. »Wir sind

172

Sprottes beste Freundinnen und wir«, sie hielt Luki so, dass er Oma Slättberg anlachte, »wir sind vorbeigekommen, weil Sprotte ganz alleine war.«

Sprottes Oma starrte das Baby an. Die Lippen hatte sie immer noch ganz fest aufeinander gepreßt, aber ihre rechte Hand hob sich wie von selbst und streichelte Lukis weichen Babyarm.

»Ist das dein Bruder?«, fragte sie.

Frieda nickte.

»Charlotte hat mir erzählt, dass du oft auf ihn aufpassen musst.«

»Ach, nicht so oft«, sagte Frieda.

Luki brabbelte los und griff nach Oma Slättbergs Brille. Ein winziges Lächeln erschien auf den schmalen Lippen.

»Frau Slättberg«, sagte Melanie und stand auf. »Wir wollten sowieso gerade gehen.« Fragend sah sie Sprotte an. »Kommst du mit?«

Sprotte zuckte die Schultern und sah ihre Oma an.

»Was guckst du mich so an?«, fragte sie und das kleine Lächeln war spurlos verschwunden. »Das musst du schließlich selber wissen.«

Sprotte biss sich auf die Lippen. Sie sah Frieda an und Melanie – und stand auf. »Ich komm mit«, sagte sie.

»Toll!«, sagte Melanie. »Auf Wiedersehen, Frau Slättberg«, und dann drängte sie sich hastig an Sprottes Oma vorbei und lief nach draußen.

»Ja, auf Wiedersehen«, sagte Frieda und hielt Oma Slättberg die Hand hin.

»Ja, ja, auf Wiedersehen«, sagte die, übersah Friedas Hand und guckte Sprotte an.

»Ich bin bald zurück«, sagte Sprotte, ging an ihrer Oma vorbei – und drehte sich noch mal um. »Wolltest du nicht erst morgen zurückkommen?«, fragte sie.

»Es hat Streit gegeben«, sagte Oma Slättberg und runzelte die Stirn. »Aber das geht dich nichts an. Um sechs essen wir zu Abend.«

»Ist gut«, sagte Sprotte. Und dann lief sie mit Frieda durch den dunklen Flur nach draußen. Melanie stand schon auf der Straße.

»Weißt du was«, flüsterte Frieda, legte Luki in seinen Wagen und hakte sich bei Sprotte ein. »Wir werden uns jetzt öfter treffen – und wenn deine Oma sich auf den Kopf stellt. Schließlich sind wir jetzt eine richtige Bande.«

Sprotte nickte und sah über die Schulter. Ihre Oma stand hinter der Gardine und sah ihnen nach.

»Kommt ihr?«, rief Melanie über die Hecke. »Ich hab nicht mehr viel Zeit!«

Sprotte lief aufs Gartentor zu. Eine Träne rollte ihr die Nase herunter. Wütend wischte sie sie weg. Frieda kam mit dem Kinderwagen hinter ihr her.

»Auf die *Wilden Hühner*!«, murmelte Sprotte.

»Was hast du gesagt?«, fragte Frieda.

»Auf die *Wilden Hühner*«, sagte Sprotte laut.

»Ja, auf die *Wilden Hühner*!«, rief Melanie und legte den beiden andern die Arme um die Schultern. »Dass sie sich von nichts und niemandem unterkriegen lassen.«

»Ja, von nichts und niemandem«, sagte Sprotte und sah noch mal zum Haus zurück. Aber Oma Slättberg war verschwunden.

Cornelia Funke im Cecilie Dressler Verlag

Mehr über Cornelia Funke und ihre Bücher unter:
www.corneliafunke.de und www.wilde-huehner.de